御廚果觀

善體物性
勤於品味
珍饈美饌
信手拈來

法界食譜

3

# Contents

## 御廚果觀

## 醒味開味　　幸福家常

# 因緣 太深一家子！

你吃哪一類的眾生多，
哪一類的種子也就多，
就很容易和哪一類的眾生做為……

現在科學這麼進步，醫學這麼發
達，可以證明我們每個人都是一個
大蟲子。在這大蟲子身上，有很多
很多的小蟲子，有多少呢，這可沒
有任何的科學、醫學可計算得出來
的。為什麼？這沒有個數目。因為
在我們的血裏，不知道有多少的蟲
子；在我們的肉裏邊，也不知道有
多少的蟲子；所以在我們的五臟六
腑裏邊，有很多很多的眾生。

為什麼有這麼多的眾生？因為我們吃的是眾生。吃什麼眾生？吃豬肉就是豬的眾生，吃牛肉就是牛的眾生，吃羊肉就是羊的眾生，吃魚肉就是魚的眾生，乃至吃雞肉、鴨肉、種種的肉，也都是同樣的道理。你在吃這個肉的時候，你不知道在這個肉裏邊，就含藏著牠這種眾生的菌。所以，你吃了牠，在你身上，就有這種的種子了。那麼你吃哪一類的眾生多，哪一類的種子也就多，就很容易和哪一類的眾生做為一家人了。所謂做為「一家子」，就是和牠成為眷屬了，因為你和牠的因緣太深了。太深了，就無法和牠離開，於是，你吃豬肉吃得多，就有機會變成豬；吃牛肉吃得多，就有機會變成牛。

那麼說，我吃米是不是有機會變成穀米呢？米是個無情的，眾生的生命是有情的。你要是吃有情的眾生，就會變成有情的眾生。你若吃這無情的，這不單不會去變米、變草、變菜，而且它還能真正幫助你的法身慧命。所以，你不要耽心吃米會變成米，這不會的。說：「那麼，吃其他眾生，為什麼就會變成其他眾生呢？」因為其他眾生是有血有氣的；氣與氣和，血與血和，你吃多了，就變成那一類。

說到度眾生，你要是不吃那一類的眾生，就是度那一類的眾生；你不吃牛，就把牛的眾生度了；你不吃羊，就把羊的眾生度了；你不吃豬，就把豬的眾生度了。怎麼叫度呢？度，就是把牠這個輪迴停止了，度過苦海，而令他登到涅槃的彼岸。

你看！吃那一類眾生就和那一類眾生結下緣了，所以有幾句話說：「肉字裏邊兩個人，裏邊罩著外邊人，眾生還吃眾生肉，仔細思量人吃人。」人吃豬，豬吃人；《楞嚴經》上說：「以人食羊，羊死為人，人死為羊。」既然羊可以復為人，豬也可以復為人，牛也可以復為人。不過，你沒有得到天眼通，看不清楚，所以就認為豬就是豬，羊就是羊，牛就是牛。

等時間一轉變，一眨眼間，就好像變戲法似的，那個身體變了，你那個靈性也就搬家了。這個靈性由人身上就搬到豬身上去，從豬身上就搬到牛身上去了，互相牽引，互相搬家，搬來搬去也不知道究竟要到什麼地方去，你說危險不危險？

所以這個「度眾生」，就是要和眾生脫離這種關係，你不吃什麼，就把什麼眾生度了！

——宣化上人

# 編 者 的 話

法界食譜之三的《御廚果觀》，可說是三本食譜之中的高級班，設計菜餚的果觀居士是廚界著名的大廚，江浙菜無人出其右；因曾經常為兩位蔣總統料理膳食，故有御廚之稱。果觀居士再三表示，不願以「御廚」二字稱之，但這是事實的呈現。

好奇地請教果觀居士：「怎麼才能燒出好吃的菜？」答曰：「無他，就像佛法一樣，要不斷地修行。」並引用他最喜歡的一首上人偈頌：「一切是考驗，看你怎麼辦，覿面若不識，須再從頭煉。」做菜也是如此，只有不斷地練習，不停地嚐味道，才能累積經驗。每個人的口味不同，每一牌子的調味料，它的味道也都不同，所以使用的量也有所變化，唯有不停地試味道，才能煮出好味道。

原本我們只想出版一本《法界香積食譜》，將法會中經常供眾的菜餚訴諸文字，沒想到香積組的同修們越煮越起勁，連「佛青會」（法界佛教青年會）的小佛友也都加入提供菜色，於是，法師們決定出版三本食譜：第一本《菜根飄香》，介紹簡單方便的料理。第二本《香積世界》，除了家常菜之外，還有宴會菜以及素食點心的介紹。第三本《御廚果觀》，顧名思義都是果觀居士的拿手菜色。套一句果觀居士常講的話：「希望大家能多吃素菜，也希望能貢獻個人的力量來為大家服務，看大家吃得高興，我就很高興！」

佛法有八萬四千種法門，門門第一。佛法不離世間法，我們日常的行、住、坐、臥，都可與佛法相應，都可藉以修行。吃，可以僅是滿口腹之欲，但也可以歡喜地結下善緣，當然更可藉以修行。希望大家都能吃得法喜充滿！

阿彌陀佛！

——法界食譜工作群

# 果觀食譜說果觀

果觀居士本名張順官，民國二十二年（1933）出生於浙江寧波。家中有父親、母親、姐姐、弟弟、妹妹與果觀居士共六人。居士八歲時，父親重病，母親發願吃素，祈求其父恢復健康，得以如願。十三歲時，因村中流行霍亂，母姐相繼亡故，果觀居士也身罹霍亂並陷入昏迷。在矇矇之中，居士由人抬10多公里到城中的寺廟就醫（當時在寧波有一寺廟為病患施打治療霍亂的針劑），因而得以康復，但卻遍尋不到恩人。當時，在上海擔任廚師的父親趕回寧波，將果觀居士帶到上海大伯家中，居士為不想太打擾大伯而決定到一家小館當童工。之後，又陸續換到幾家著名的餐館工作（都是上海最有名的館子），主要的工作內容仍然是：磨刀、洗鍋子、殺魚、拉風箱、外送。

但是聰慧的居士，總是默默地學習大廚們的技巧，甚至為了磨練技術而犧牲吃飯的時間，在廚房練習。居士說：「多做多得，得到了就是自己的。」到十八歲那年，終於正式持杓。居士的運氣很好，因隨父親在商船上工作而順利來到臺灣，之後在台北當時最有名的狀元樓找到工作，卻還是洗鍋子，但是，不久也就開始擔任主廚了。民國三十九年，因緣際會與行天宮有了接觸，並成為行天宮的護法。民國四十四年與當時的同事完婚，組織美滿的家庭。張太太當時亦擔任行天宮的義工，很有善根，慢慢引導居士走向修行之路。

居士從來沒有拜師學過烹飪，憑的是吃苦耐勞的勤奮個性，細膩的觀察力以及天生的直覺，而練就了一手頂級的廚藝。居士的江浙菜可稱是臺灣的第一味，無人能出其右，在餐飲界無人不知「張師傅」，尤其兩位蔣總統都特別喜歡居士的手藝，居士因而聲名大噪。當時政府層峰於重要宴會時，常指定由居士掌廚，且達官顯貴亦都爭著指名要吃張師傅的菜。有時，居士一個晚上要趕四場的外燴，菜雖然是徒弟做的，但是只要和「張師傅」可以沾到邊，大家都認為是第一美味的菜餚。然而一如居士所說「賺了錢，賠了健康！賺來的錢都拿去買藥了。」

「法界佛教印經會」發起人之一的陳老師，第一次讀到宣化上人的《放眼觀天下》一書，深得法喜，乃發心印製、流通上人法音，並將此告知當時在行天宮當義工的二十幾位老同修。老同修們為求印經順利，精進共修，且風雨無阻、不畏泥濘地朝山；由於大家堅定的信心和誠心，民國七十二年（1983），終於經　上人慈允成立，並賜名「法界佛教贈經會」。（後正名為「法界佛教印經會」）

1. 在學佛的太太薰習下，居士開始親近佛法，而張太太總是告訴他：「不要再殺生了，不要再做這一行了！」民國七十四年（1985）居士正式皈依於宣化上人座下。自此張順官消失了，取而代之的是果觀，時時提醒自己要「觀己之錯」。有所改變的不只是名字，果觀居士同時立定決心不再烹煮葷食。不論他人捧著多大把的鈔票，或是屢屢追到美國萬佛聖城請「張師傅」重掌爐杓，果觀居士均不為所動。居士在美期間，餐館的老闆仍然捧著居士的薪水送到家中，但均被張太太拒絕了，她說：「做人不能貪，不屬於我們的，就連地上的一根草都不能拿！」居士首次赴美參加萬佛聖城的觀音法會，並為與會的數千人準備齋菜。當時張太太本想成就居士出家修行，但是居士念及家中老父與尚未能自立的孩子們，實在放不下心；結果，張太太先行出家了---即是目前萬佛聖城的典座恆然法師。

2.

3.

1.有善根的果觀居士（右一）早在法界成立之初，即熱心護法。
2.早期的法界設備簡單，果觀居士（中）與大家虔誠誦經。
3.1986 年在萬佛聖城的香積廚內，果觀居士與老同修們。

果觀居士曾有幸為宣化上人準備膳食，上人膳食簡單，多是馬鈴薯、紅蘿蔔、地瓜、包心菜之類，讓居士深感於上人的刻苦修行。十幾年來，在「法界佛教印經會」共修的信眾，常有機會吃到居士所烹調的美味齋菜，儘管目前已年近八十，居士還是不斷地和大眾結下殊勝的香積緣。

1985 年果觀居士（左二）與老同修們到萬佛聖城親聆宣化上人教誨。

居士說：「我父親年老後得了肝硬化，住院時，朋友們（都是廚師）來看老人家，並在老人家枕下放了一些紅包，沒想到老人家竟然極痛苦地喊著『不要咬了，不要再咬了！唉喲，有野獸在咬我！』結果將紅包拿出後，老人家立即恢復平靜。肝硬化末期的病人都很痛苦，可是經恆然法師請求宣化上人加持後，父親的病況雖沒有改善，但身體卻沒有了疼痛，肚子也消腫不痛了，甚至83歲時還可以朝山，直到84歲病發後，就無法朝山了；也在這一年的除夕夜，由孫子們洗澡更衣之後，安祥地壽終正寢，兒孫環侍。而我自己，整個身體都壞掉，還有肺氣腫的毛病，本來早該走的；又經歷過大車禍、從高樹上摔下、小兒子從八樓跌下，都能重報輕受，家人平安學佛。年紀大了，還能做這麼些工作，這豈不是佛、菩薩、上人一直在我們身邊照顧，這就是感應的證明。」

1. 2006年果觀居士（前排左二）與老同修們在法界22周年的慶祝活動合影。
2. 老同修們於每月第三個週日在香積組輪值，組長是果觀居士的大兒子（右三）。
3. 果觀居士與大兒子、長孫、長媳在法界的齋堂。

居士一向以「做事問心無愧，做人心安理得，做義工最好！」自勉。昔日的御廚，今日只為佛教出力；果觀居士勇猛精進，一心念佛，如今常住台北，積極護持「台北法界佛教印經會」擔任義工，並於每月第三個星期天的水懺法會擔任香積組工作。每逢這一天，居士帶著兒子、媳婦與老同修們一起為大眾準備午齋，希望大家在法喜充滿的同時，也能吃得滿心歡喜。

Makes a Healthy and Easy Life

醒

味

開

胃

酸酸甜甜　辣辣鹹鹹
開胃為先
上菜！

# 糖醋蓮藕

（約 4~6 人份）

步　　驟：1. 蓮藕洗淨，切約 0.2 公分薄片，入開水汆燙，用冷開水漂涼，撈起瀝乾。加入糖、白醋，醃泡約半小時。紅椒絲汆燙。

2. 將步驟 1. 排入盤中。

3. 油 1 大匙入炒鍋燒熱，淋在步驟 2. 之盤上，洒上少許紅椒絲即可上桌。

知　　識：　生吃鮮藕能清熱解煩，解渴止嘔；如將鮮藕壓榨取汁，其功效更甚，煮熟的藕，性溫味甘，能健脾開胃，益血補心，故主補五臟，有消食、止瀉、生肌的功效。食用蓮藕，要挑選外皮呈黃褐色，肉肥厚而白者為佳。

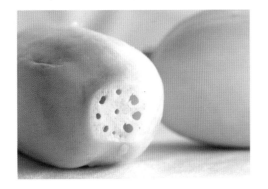

材　料：
蓮藕半斤
紅椒絲少許

調味料：
糖 2 大匙
白醋 1 大匙

世上刀兵大劫，皆由人心好殺所致。
人人戒殺放生，則人人全其慈悲愛物之心，
而刀兵劫運，亦自消滅於無形。
　　　　　　　　　　　　　——印光大師

# 好彩頭

（約 4~6 人份）

步　　驟：　大頭菜去皮洗淨，切細絲，加入海鹽拌勻，醃泡約 10 分鐘，擠掉水份，加入
紅辣椒絲、香油、糖、甘草水拌均勻，排入盤內，洒上少許爆香的芹菜末及
青椒絲即可食用。

知　　識：　大頭菜，性涼味甘辛，中醫認為大頭菜有清熱解毒，涼血通淋、消食積、散
積痰之效。但因性寒涼，所以大便易瀉、陰盛偏寒體質者不宜食用，大頭菜
容易耗氣損血，所以病後及患瘡者忌食。

材　料：
大頭菜 1 顆
紅辣椒絲少許
青椒絲少許
芹菜末少許

調味料：
海鹽 1 大匙
甘草水少許
香油 1 大匙
糖少許

醒味開胃

18

一切眾生，從無始來，在生死中，輪迴不息，
靡不曾做父母兄弟，男女眷屬，乃至朋友親愛侍使，
易生而受鳥獸等身，云何於中取之而食。

——《大乘入楞伽經》

# 臘八泡菜

（約 4~6 人份）

步　驟：1. 高麗菜洗淨剝大片狀，加入紅蘿蔔片、海鹽拌均勻，加一重物壓在上面，醃泡約 30～45 分鐘，擠乾水份。薑絲、紅辣椒絲鋪在上面備用。

2. 炒鍋放入糖、水 1 碗煮開熄火，加入白醋後淋在步驟 1.上面。油 1 大匙入炒鍋，燒熱，淋在步驟 1.上面，泡 20 分鐘（可視個人喜好，調整泡的時間；泡越久越入味。）即可取出排入盤內，洒上少許九層塔即可上桌。

秘　訣：　酸、甜可視個人喜好酌量調整。

變　化：　也可以用白菜來製作，口感略有不同，風味一樣好。

知　識：　即使是美味的泡菜，也不可從冰箱拿出來立即就食，必須置於室溫退冰，否則反而傷胃。

材　料：
高麗菜半個（約 1 斤）
紅蘿蔔薄片半碗
九層塔少許（裝飾用）

調味料：
紅辣椒絲 1 大匙
白醋 1 大匙
海鹽 1 茶匙
薑絲半碗
糖 1 大匙

我決心杜絕吃肉，一年後，
我不但輕輕鬆鬆就能節制飲食，而且感覺很舒服。
——賽尼加（Seneca ·著名文學家）

# 苔條花生

（約 4~6 人份）

步　驟：1. 花生洗淨，瀝乾水份，入油鍋用溫油炸成金黃色，起鍋，瀝乾油份，置涼備
　　　　　用。
　　　　2. 苔條，入油鍋，快速油炸，撈起，瀝乾油份，洒入糖粉，拌入花生內即成。

秘　訣：　苔條本身是鹹的，不用另外加鹽，即有鹹度。油炸時要非常小心，動作要快，
　　　　　可放在瀝網內，入油鍋，炸一下即起鍋。

知　識：　花生味甘，補脾益氣、潤肺化痰、潤腸通便、催乳止血及補血。花生含維他
　　　　　命 K，含凝血素。花生仁外層棕色薄皮，有止血成分，可促進骨髓、血小板
　　　　　製造，並有保護血管壁作用。

材　料：
去皮花生半斤
寧波苔條 1 碗
（迪化街可買到）

調味料：
糖粉適量

千百年來席上肴　殺雞不必用牛刀
可憐背上生雙翅　不會高飛上碧霄
　　　　　　　　　──民・雲居

# 雪菜百頁

（約 4~6 人份）

步　驟：1. 百頁切 3 公分寬長條備用。雪裡紅洗淨，擰乾水份，切 1 公分細段。小辣椒切細丁備用。

2. 溫水入鍋，水蓋過材料的量，放入鹹塊拌勻，放入步驟 1.之百頁，泡軟撈起，用冷水漂過，至鹹味淡，瀝乾水份備用。

3. 油 1 大匙入炒鍋，放入海鹽略炒，加入步驟 2.之百頁略炒，至百頁入味，加入雪裡紅，拌炒至雪裡紅熱透，即可起鍋，洒上辣椒細丁即成。

秘　訣：泡百頁之過程中（100 張百頁約使用 1 塊鹹塊的比例），要輕輕地不時翻動，讓每一片百頁皆泡在水裏面，泡至變成淺乳白色，再放在水龍頭下面，用小管水，讓水一直流動漂洗（約 30 分鐘），至水變清澈，無鹹味為止。

材　料：
百頁 20 張
雪裡紅半斤
小辣椒 1 個

調味料：
鹹塊（約一顆黃豆大小）
海鹽 1 大匙

醒味開胃

24

吃肉正是一種沒有正當理由的謀殺。
——班傑明・富蘭克林（發明家）

# 豆瓣辣盤

（約 10~12 人份）

步　驟：1. 洗淨所有材料。豆干切丁。馬鈴薯去皮洗淨切丁。荸薺去皮切丁。毛豆汆燙撈起，用冷開水漂涼備用。香菇洗淨泡軟，切丁。

2. 油 1 大匙入炒鍋，放入香菇丁炒香，加入豆干丁炒香，加入馬鈴薯丁續炒，加入豆瓣醬、甜麵醬、辣椒醬、水 1 碗燜煮至馬鈴薯熟。加入水煮花生、荸薺，翻炒至均勻，起鍋洒上毛豆即成。

知　識：馬鈴薯性平味甘，其有益氣健脾、消炎解毒之功效，適用於治療十二指腸潰瘍，慢性胃痛、習慣性便秘和皮膚濕疹等症。馬鈴薯所含的維他命 C 比去皮的蘋果高一倍。

材　料：
五香豆干半斤
水煮花生1碗 （熟）
香菇丁半碗
馬鈴薯1條
荸薺1碗
毛豆半碗

調味料：
豆瓣醬半碗
甜麵醬半碗
辣椒醬少許
糖少許

醒味開胃

26

瘟疫水火諸災橫事,戒殺放生者絕少遭逢。
是知護生,原屬護自。戒殺可免天殺、
鬼神殺、盜賊殺、未來怨怨相報殺。
　　　　　　　　　　　　——印光大師

# 油燜筍

（約 4~6 人份）

步　　驟：1. 桂竹筍，洗淨，撕開，再切 4 公分長段備用。

2. 油 1 大匙入炒鍋，放入醬油爆香，加入桂竹筍，翻炒數下，加入水（蓋過竹筍），加入甘草、糖少許，用小火煮約 30 分鐘（中途要翻動）即可起鍋入盤上桌。

秘　　訣：　新鮮桂竹筍可直接燒煮，若買已煮熟的桂竹筍則需先汆燙過後再煮，比較不會有酸味。

知　　識：　桂竹筍價值最高之處，在於纖維質比其他食品來得高，有助於身體的新陳代謝。

材　料：
新鮮桂竹筍 1 斤

調味料：
醬油 1 大匙
甘草半片
糖少許

一日持齋，天下殺生無我份。

——古云

# 紫 氣 東 來

（約 4~6 人份）

步　　驟：1. 紫菜撕成大小適中，入油鍋炸，快速撈起，放入盤中，洒入糖粉、海鹽少許，
　　　　　　拌勻備用。
　　　　　2. 松子用溫油炸，金黃色即起鍋，置涼，洒入紫菜片上即可上桌。

知　　識：　紫菜可以健胃，因為富含維他命 U，有預防潰瘍和促使潰瘍面癒合的作用。
　　　　　　此外，也含豐富的鐵與鈣，可以做為治療貧血的輔助食品，也同時促進骨骼
　　　　　　與牙齒的健康。

材　料：
無砂乾紫菜 1 片
松子 2 大匙

調味料：
糖粉 1 大匙
海鹽少許

若一切人不食肉者，亦無有人殺害眾生。
由人食肉，若無可食，處處求買：
為財利者殺以販賣，為買者殺，是故買者與殺無異。
——《大乘入楞伽經》

我在香港曾經遇到一件事，
那時（一九五三年夏天）我在志蓮淨苑講《地藏經》。
當家的寬慧法師，是虛雲老和尚的弟子，
她在未出家以前是個工人，不識字，
幫人做工、煮飯、燒菜，常常買雞鴨回來殺。

有一次，
她買了一些螃蟹回來，預備弄給主人吃，
可是螃蟹用蟹螯把她的中指箝住了不放。
她當時狠心就拿刀把螃蟹的螯剁下來，殺了螃蟹就煮來吃了。
吃了之後，各位猜怎麼樣？
這個工人的中指被蟹箝過的地方，
現出一隻肉螃蟹來，一天到晚痛得很，無法忍受。

以後她到芙蓉山拜水懺，拜了七天水懺，肉螃蟹小一點，但還是痛。
當我在那裏講《地藏經》時，寬慧法師要求我幫她想法子解冤結。
我給螃蟹授皈依，結果說完了三皈依後，
她手上的螃蟹不見了，也不痛了。

所以這個因果報應是絲毫不爽的，我們人切記切記不要殺生：
你殺他，他就殺你，那麼互相殺，沒有完了的時候。

——宣化上人

幸

福

家常

香噴噴　熱騰騰
既悅目　又爽口
好吃　　好好吃

Makes a Healthy and Easy Life

# 慈母掛心

（約 4 人份）

步　驟：1. 洗淨菜心，連皮切段（約 5 公分長）再對切。白果洗淨，備用。

　　　　2. 油 1 大匙入炒鍋，放入醬油炒香，放入菜心、白果、糖少許、水 1 碗，用小火燜煮 30 分鐘（中間可翻動 1～2 次）即成。

知　識：　芥菜亦稱掛菜，芥菜性溫味辛，富含鈣、鐵、胡蘿蔔素、維他命 C、B1、B2、菸鹼酸，略有苦味但清香可口。有溫中利水、宣肺豁痰、解毒利尿、利九竅、明耳目之效。

材　料：
鮮白果 1 碗
菜心 1 條

調味料：
醬油 1 茶匙
糖少許

殺彼身命，或食其肉，經微塵劫，
相食相誅，猶如輪轉，互為高下，無有休息。
　　　　　　　　　　　　　　──《楞嚴經》

# 七里聞香

（約 4 人份）

**步　驟：** 1. 臭豆腐洗淨，1 塊切成 6 小塊。青豆仁汆燙，起鍋，瀝乾水份，備用。

2. 油 1 大匙入炒鍋，放入醬油爆香，加入水 2 碗、八角、糖，待滾，放入步驟 1. 之臭豆腐，用小火燜煮 15 分鐘，（拿掉八角）起鍋，洒上青豆仁即成。

**知　識：** 世界健康統計資料不斷地顯示，肉類消耗過多的國家，罹患疾病的比率也相對提高（如心臟病、癌症），愛斯基摩人，主要以食用肉類、脂肪為生，平均年齡卻只有 27 歲。

**材　料：**
手工臭豆腐 6 片
青豆仁少許

**調味料：**
醬油 1 大匙
八角 1/4 個
糖 1/2 茶匙

動物是我的朋友，我不會去吃我的朋友。

——蕭伯納（Geoege Bernard Shaw）

# 花菇麵筋

（約4人份）

步　驟：1. 花菇洗淨，泡軟。麵筋泡洗淨，汆燙，撈起，瀝乾水份，備用。

2. 油 1/2 茶匙入炒鍋，待熱，放入花菇炒香，加入醬油、糖、水（蓋過材料），用文火燜煮約 10 分鐘，再加入麵筋泡，續煮約 10 分鐘（或醬汁燒乾）即可起鍋。

知　識：香菇依不同季節分為冬菇、秋菇和春菇，其中以冬菇最好：依不同質地又分為花菇、厚菇和薄菇，當中以花菇最好。花菇味甘，功能清熱解毒，益胃，有人體所需的多種胺基酸，故而有益健康。

材　料：
麵筋泡 1 碗
花菇 1 碗

調味料：
醬油 1/2 茶匙
糖 1/2 茶匙

錢可通神　切莫錯因果　食令智昏　最好節飲食
──宣化上人

# 翠綠佛手

（約 4 人份）

步　　驟：1. 佛手瓜去皮，洗淨，切粗絲。枸杞洗淨，汆燙，備用。

2. 油 1/2 茶匙入炒鍋，放入佛手瓜略炒，加入少許水，用大火煮滾，再用小火加蓋燜至佛手瓜熟透，加入海鹽拌炒均勻，起鍋，淋上少許香油、洒上枸杞即成。

知　　識：佛手味苦、性溫。能除胸中痰水、舒肝行氣，平肝與胃的脹氣疼痛。選購時，若瓜皮上留有少量的刺已發硬，佛手處已有種子突出表面，表示老熟。食用時，需去皮。選表面光滑、茸毛軟的為嫩瓜，可帶皮切片，清炒味佳。

材　料：
佛手瓜 3 個
枸杞少許

調味料：
海鹽 1/2 茶匙
香油少許

食肉之人眾生聞氣，悉皆驚怖逃走遠離。
是故菩薩如實修行，為化眾生不應食肉。
——《大乘入楞伽經》

# 餘香茄子

（約 4~6 人份）

步　　驟：1. 茄子洗淨，切滾刀，泡入水中，備用。九層塔去老根，洗淨，瀝乾水份，備用。
　　　　2. 油 1 大匙入炒鍋，待熱，放入薑片爆香，加入醬油略炒，加入茄子（先瀝乾水份）、糖、甘草片、水半碗，略翻炒，蓋上鍋蓋，用小火燜約 15 分鐘，改用大火，加入九層塔輕輕翻炒至軟即成。

秘　　訣：　燜茄子之過程，不用加太多水，茄子會自動流出水份，但火候一定要用小火，否則會很容易焦掉，中途可略翻動。

知　　識：　紫皮茄子對高血壓、咯血、皮膚紫斑病患者益處很大。元代名醫朱丹溪認為茄子屬土，補脾益胃。茄子能散瘀血，故可降低腦血管栓塞的機率。茄子纖維中所含的皂草鹼，具有降低膽固醇的功效。

材　料：
茄子 1 斤
九層塔 1 碗

調味料：
醬油 1 大匙
甘草小半片
薑片少許
糖少許

我並不是基於健康的因素才吃素，
是基於道德的因素而成為全素者。
素食主義絕對會變成全人類的運動。
——迪克·葛列格里（清教徒與人權領袖）

# 慈祥銀絲

（約 4 人份）

步　驟：
1. 取一盆水，加入少許白醋，備用。
2. 馬鈴薯去皮，洗淨切細絲（如細薑絲般細），放入步驟 1.內稍泡，撈起，瀝乾水份，備用。枸杞洗淨，汆燙，備用。
3. 油 1 大匙入炒鍋，放入步驟 2.略翻動，加入水、海鹽，燜煮約 10～15 分鐘即可起鍋。洒上枸杞即成。

知　識：　馬鈴薯的營養十分豐富，然而發芽，芽眼、芽根和變綠的馬鈴薯中含有龍葵素，一旦吃下，輕者噁心、嘔吐、腹痛、腹瀉，重者可出現脫水、血壓下降、呼吸困難、昏迷、抽搐等現象，嚴重者還可因心肺麻痺而死亡。

材　料：
馬鈴薯（中）2 條
枸杞少許

調味料：
海鹽 1/2 茶匙
白醋 1 大匙
水半杯

佛教主張「同體大悲」的精神，
視一切眾生皆有佛性皆堪作佛，故主張戒殺護生。
　　　　　　　　　　　　　　　　——宣化上人

# 茼蒿豆干

（約 4 人份）

步　驟：1. 洗淨材料，瀝乾水份，備用。茼蒿入滾水中汆燙，用冷開水漂涼，擠乾水份，
　　　　　切成細末。豆干汆燙，起鍋，切細末，備用。
　　　　2. 將步驟 1.入一盤中，加入調味料拌均勻即可食用。

知　識：　茼蒿能安心氣，養脾胃，消痰飲，利腸胃。具有整胃健脾、降壓補腦的效用。
　　　　　茼蒿是含維他命 A 和鐵質豐富的蔬菜。茼蒿以色澤深綠，長度愈短愈夠香味，
　　　　　選擇茼蒿以沒有花蕾的更好。

材　料：
茼蒿 1 斤
豆干 4 兩

調味料：
海鹽 1/2 茶匙
麻油少許

菩薩為求清淨佛土教化眾生，不應食肉。
是故大慧！若以我為師者，一切諸肉悉不應食！
——《大乘入楞伽經》

# 沙茶木耳

（約 4 人份）

步　　驟：1. 白木耳洗淨泡軟，去根部，分大小適中，入鍋加水煮 20 分鐘，瀝乾水份，備
　　　　　　用。枸杞洗淨，汆燙，備用。

　　　　2. 油 1 大匙入炒鍋，放入沙茶醬略炒，加入白木耳、海鹽翻炒約 2 分鐘起鍋，
　　　　　　洒上枸杞即可。

知　　識：　黴變的銀耳不能食用；否則，輕者發生頭痛、腹脹、嘔吐、抽搐和昏暈，重
　　　　　　者會引起中毒性休克而死亡。銀耳變質後，會滋生耐高溫的桿菌，燒煮不能
　　　　　　使其毒素破壞。

材　料：
白木耳 1 碗
枸杞少許

調味料：
素沙茶 1 大匙
海鹽 1/2 茶匙

家住夕陽江上村　一灣流水遠柴門
種來松樹高於屋　借與春禽養子孫
　　　　　　　——明・葉唐夫

# 金色世界

（約 10~12 人份）

步　　驟：1. 洗淨小南瓜外皮，切開去籽，連皮切大片。
　　　　　2. 油 1 大匙入炒鍋，放入薑片爆香，加入南瓜略炒，加水 3 碗，放入糖、海鹽，用大火煮開，小火燜煮約 20 分鐘即成。

知　　識：　南瓜有補中益氣、消炎止痛、解毒化痰、潤肺止咳之效。南瓜吃多了可能出現皮膚黃染現象，那是由於胡蘿蔔素未經變化即由汗液排出之結果。停食一段時間即會自行消退，對健康無礙。

材　料：
小南瓜 1 個
（約 1 斤）

調味料：
海鹽 1/2 茶匙
糖 1/2 茶匙
薑片少許

我認為吃齋的人，齋菜裏連雞鴨的名字都不應該提。
我希望每一個佛教徒都應該有擇法眼，
要認識因果，不昧因果。

——宣化上人

# 什錦冬粉

（約 4 人份）

步　　驟：1. 冬粉洗淨泡軟，切成 3 段。冬菇洗淨，泡軟，擠乾水份，切細末。豆干洗淨，切細末。紅蘿蔔洗淨去皮，切細末，備用。

　　　　 2. 油 1 大匙入炒鍋，入醬油炒香，加入冬菇末爆香，加入豆干末、紅蘿蔔細末略炒，加入水 2 碗待滾，加入冬粉、甘草水，翻炒至水份乾，冬粉入味，即可起鍋排盤上桌。

知　　識：出身澳洲之游泳金牌選手馬雷‧羅斯，他不僅在西元一九五六年於墨爾本所舉辦的世界運動會中勇冠群雄，一舉奪得三塊金牌，成為世運會中最年輕的金牌得主，並於次屆羅馬世運會中贏得了四百公尺自由式的錦標。他的每日食物，主要是以黑麵包、帶麵皮的小麥粉及黑砂糖為主，另外輔以生蔬菜、水果、乾果、海藻及穀類為副食品，並於烹調之時，絕對杜絕所有化學調味料。

材　料：
紅蘿蔔 1/4 條
冬粉 3 把
冬菇 3 朵
豆干 5 片

調味料：
醬油 3 大匙
甘草水少許

我覺得，當心靈發展到了某個階段的時候，
我們將不再為了滿足食欲而殘殺動物。
　　　——甘地（Mahatma Gandhi, 印度國父）

# 苦盡甘來

步　　驟：1. 苦瓜洗淨，對切，去籽，切大片。梅乾菜洗淨，切細段。
　　　　　2. 油 1 大匙入炒鍋，待熱，放入苦瓜略翻動，用小火燜 10 分鐘，加入梅乾菜、醬油、糖、水 1 碗，用小火燜 30 分鐘，即可起鍋排盤上桌。

秘　　訣：　先試一下梅乾菜之鹹淡後，再增減調味料。

知　　識：　苦瓜性寒味苦，有清暑滌熱、明目解毒、利消化、增食欲之效。苦瓜的維他命 C 含量豐富，故有益於調節體內功能、增強機體免疫力、促進皮膚的新陳代謝。經常食用苦瓜，能增強皮膚的生理活性，使顏面更加細膩光滑。

材　料：
苦瓜 1 條
梅乾菜 1 碗

調味料：
醬油 2 大匙
糖 1 大匙

世界最大的仇怨，莫過於殺生。
所謂「殺人償命，欠債還錢。」你殺人之父兄，
人必殺你的父兄。這樣的互相殘殺，永無止境。

——宣化上人

# 吉祥腐丁

（約 4 人份）

步　　驟：1. 嫩豆腐洗淨，瀝乾水份，切 1 公分正方丁。荸薺去皮洗淨，切細丁，備用。青豆仁汆燙，備用。

2. 油 1 大匙入炒鍋，待熱，放入醬油略炒，再放入味噌辣椒醬炒香，再加入豆腐丁、水 1 杯入鍋，用中火，蓋上鍋蓋，燜煮約 10 分鐘，最後加入荸薺細丁，煮 2 分鐘，徐徐倒入少許芡汁拌勻，即可起鍋。洒上青豆仁即成。

知　　識：　荸薺又名「馬蹄」，有清熱生津、開胃消食、清音明目、利咽化痰之功。荸薺性寒，不易消化，如吃太多，容易腹脹。消化較差者或小兒，不宜多食。

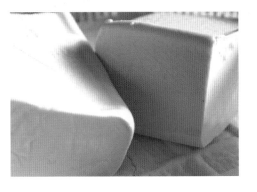

材　料：
嫩豆腐 1 塊
荸薺 5 個
青豆仁少許

調味料：
味噌辣椒醬 1 大匙
（或粗味噌＋辣椒醬）
醬油 1/2 茶匙
芡汁少許

在世俗社會中，無所約束，
隨著習俗恣意宰殺啖食，你殺他一命，
來日必還一命，因果不失，不知又要造多少生死業。
　　　　　　　　　　　　　　　——廣欽老和尚

# 結頭麵筋

（約 10~12 人份）

步　驟：1. 大頭菜去皮，洗淨，切粗絲，加入海鹽稍醃（海鹽不用洗掉）。麵筋條洗淨，切絲，備用。
2. 油 1/2 茶匙入炒鍋，放入麵筋絲，再加入少許海鹽，炒至香味出，起鍋備用。
3. 油 1/2 茶匙入炒鍋，放入大頭菜、水（蓋過材料）煮開，蓋鍋蓋，用中火煮至水收乾，再加入步驟 2.拌勻即可起鍋。洒上甜椒絲即成。

知　識：　蕪菁，又叫「大頭菜」，和蘿蔔相似，根的形態大小、顏色，因品種不同而各異。選擇時，球莖光滑有光澤，沒有鬚根的最好吃。

材　料：
大頭菜 1 顆
麵筋條 1 條
甜椒絲少許

調味料：
海鹽 1 茶匙

秋水澄澄見髮毛　錦鱗行慢水紋搖

岸邊人影驚還去　時向綠荷深處跳

　　　　　　　──宋・歐陽修

# 秋色四季

步　驟：1. 四季豆洗淨，去老絲，入油鍋炸成乾乾扁扁，起鍋，瀝乾油份，排入盤中，
　　　　　　備用。

　　　　2. 油 1/2 茶匙入炒鍋，放入甜麵醬爆香，再加入四季豆拌炒，起鍋，洒入芝麻
　　　　　　即可上桌。

變　化：　亦可以長豆替換四季豆，口感一樣好。

材　料：
四季豆 1 斤

調味料：
炒熟白芝麻少許
甜麵醬 2 大匙

幸福家常

60

問：吃齋到底有什麼好處？不吃齋到底有什麼不好處？
宣化上人：你吃齋，是活著吃虧；不吃齋，是死後吃虧。

希臘哲學家蘇格拉底曾說：
「吃素以後，人們會和平、健康地活到高壽，
並且把類似的生活方式傳給後代子孫。」

又說：
「如果你要吃肉，
那你就得需要更大更多的土地來種植物：
一方面給這些待宰的牛羊吃，
一方面你自己也得吃蔬菜。

於是，
你就會開始覬覦隔鄰的土地，
同時想把它搶過來，

於是，
就得發動戰爭。」

Makes a Healthy and Easy Life

體面宴客

外行看熱鬧
內行品味道
果觀的菜色
讓你通通褒

# 腰果吉丁

（約 4~6 人份）

步　驟：1. 百頁豆腐洗淨，切 1.5 公分大丁備用。

2. 油入炒鍋，用小火，放入腰果，炸成金黃色，起鍋，瀝乾油份，備用。百頁放入油鍋，用中火炸成金黃色，起鍋，瀝乾油份，備用。

3. 醬油、糖、甘草水入炒鍋，放入步驟 2.之百頁豆腐，略炒入味（湯汁收乾），起鍋，洒上碎腰果及少許芹菜末即成。

秘　訣：　炸腰果時，要在冷油狀態中，把腰果放入慢慢地炸，待變色即可起鍋。

知　識：　腰果果仁中，油酸可預防動脈硬化，心血管疾病；亞麻油酸則可預防心臟病、腦中風；富含的不飽和脂肪酸也對心肌梗塞症有幫助。腰果中，維他命B1 的含量，僅次於芝麻和花生，有補充體力及消除疲勞的效果，適合易疲倦的人食用！腰果含有較多的油脂，腸炎腹瀉患者和痰多患者不宜多食。

材　料：
百頁豆腐 2 條
腰果 1 杯
芹菜末少許

調味料：
甘草水 1/2 茶匙
醬油 1 大匙
糖少許

除非你能擁抱並接納所有的生物，
而不只是將愛心侷限於人類而已，
不然你不算真正擁有憐憫之心。
　　　——史懷哲（Albert Schweitzer）

# 香薰豆品

（約 4~6 人份）

步　驟：1. 豆條洗淨，入蒸鍋蒸 3 分鐘，取出備用。

2. 炒鍋上放入錫箔紙上，放入砂糖、茶葉，上面再加一網架，鋪上高麗菜葉（或一般菜葉），再放入步驟 1.之豆條，蓋上鍋蓋，用大火燻約 10~15 秒，蓋邊出煙，即可取出。

3. 將步驟 2.切成 4 公分長段，排入盤中，淋上少許醬油膏即成。

秘　訣：在燻豆條之過程中，要注意火候與時間，否則會太焦黑，有苦味。

知　識：以錫箔紙燒烤食物，切勿再將酸性水果，包裹在一起烤！因為酸性物質可能會把錫箔紙和鋁箔紙的錫和鋁熔出，食用後可能錫、鋁中毒。用錫箔或鋁箔包食材時，最好只放食物，不要調味或醃過，待烤熟後再沾醬。

材　料：
豆條 1 斤
錫箔紙 1 張

調味料：
醬油膏 1 大匙
砂糖 1 大匙
茶葉 1/2 茶匙

人類對非人類的暴政，已經造成龐大的痛苦與折磨；
這種痛苦與折磨，可媲美白人黑人幾世紀以來的暴行。
　　　　　　　　——彼得‧辛格　（動物權益倡導人）

# 富貴豆腐

（約 4~6 人份）

步　驟：1. 豆腐洗淨切 3 公分大小，入油鍋，用中火炸成金黃色，撈起，瀝乾油份，備用。紅棗洗淨。白果洗淨，加入一倍水，煮至軟透，起鍋，瀝乾水份，備用。青椒、紅椒洗淨，去籽，切片，備用。

2. 油 1 大匙入鍋，待熱，放入醬油略炒，加入紅棗、白果、醬油、糖、甘草水、水 1 碗待滾，加入豆腐煮入味，最後加入青椒片、紅椒片，略翻動至青椒變更綠色，即可起鍋，盛入已燒熱之鐵板鍋內即成。

知　識：白果能補腎、補氣、止咳、定喘，不可生食，且用量亦不宜超過 20 粒。因為白果的果肉中含有白果酸和白果二酸，當食用過量時，它們不僅對人的皮膚、黏膜有強烈的刺激，而且對中樞神經系統有毒性作用。

材　料：
嫩豆腐 2 塊
鮮白果 1 碗
紅棗 10 顆
青椒 1 個
紅椒少許

調味料：
醬油 2 大匙
糖 1/2 茶匙
甘草水少許

我深信吃葷不但沒有必要，而且對身體健康也有害；
再說，吃葷是不道德的行為。
——約翰・哈維・凱洛格醫生 （John Harvey Kellogg）

# 九層菇串

（約 4 人份）

步　　驟：1. 洋菇洗淨，汆燙，沖冷水，切花（在洋菇的正面直切再橫切，但不切斷），瀝乾水份，入油鍋炸至金黃色，起鍋，瀝乾油份。九層塔去老根，洗淨，瀝乾水份。
　　　　 2. 油 1 小匙入炒鍋，待熱，放入九層塔，炒數下，起鍋，備用。
　　　　 3. 油 1 大匙入炒鍋，放入薑片爆香，加入沙茶、紅辣椒片，略炒，加入步驟 1. 之洋菇及醬油、糖、甘草水翻炒，加入步驟 2.之九層塔，翻炒，徐徐倒入少許芡汁拌勻，即可起鍋排盤。

秘　　訣：　若汁多時，可淋入少許芡汁，口感佳。

知　　識：　九層塔亦稱羅勒的，有疏風行氣、化濕消食、活血解毒之效。

材　料：
洋菇 1 斤
九層塔 1 兩

調味料：
素沙茶 3 大匙
紅辣椒片少許
醬油 1 大匙
甘草水少許
糖 1/2 茶匙
薑片少許
芡汁少許

以人食羊，羊死為人，人死為羊，如是乃至，
十生之類，死死生生，互來相噉。

——《楞嚴經》

# 天女散花

（約 4 人份）

步　　驟：1. 金針菇去根部，洗淨，瀝乾大部分水份（仍有一點水份）。
　　　　　2. 玉米粉入一平盤，金針菇倒入，用手拌，使玉米粉附著於金針菇上。
　　　　　3. 油入炸鍋，以中火，待油熱，放入步驟 2.之金針菇，炸至淺黃色，起鍋，瀝乾油份，備用。
　　　　　4. 將所有調味料入鍋，煮滾後，放入炸好的金針菇拌勻即可。

秘　　訣：　要注意火之大小與油的溫度，很容易炸焦；可以先以少量試炸。

變　　化：　也可不加調味醬，改沾胡椒鹽有另一種口感。

材　料：
金針菇 2 把
玉米粉 1 碗

調味料：
淡色醬油 1/2 匙
番茄醬 1 大匙
麻油 1/2 茶匙
糖 1 大匙
水半碗

除非人類能夠將愛心延伸到所有的生物上，
否則人類將無法找到和平。

——史懷哲（Albert Schweitzer）

# 掛菜囍菇

（約 4~6 人份）

步　　驟：1. 芥菜洗淨，切大小適中，備用。鴻禧菇去根部，洗淨備用。

2. 水入鍋（蓋過芥菜的量），加入鹹塊，待滾，放入芥菜汆燙，撈起，用冷水漂涼，備用。

3. 油 1 大匙入炒鍋，放入芥菜，加入海鹽、甘草水，煮約 3 分鐘，加入鴻禧菇再煮 3 分鐘，徐徐倒入少許芡汁、紅甜椒絲拌勻，起鍋排入盤中即可上菜。

知　　識：耶魯大學的愛文・費舍博士做過耐力測驗，耶魯的運動員、教師、醫生與護士都參與了這項研究。令人驚訝的證據顯示，素食者的精力幾乎是肉食者的兩倍。密西根大學也有人做過類似的實驗印證他的說法。

材　料：
芥菜 1 斤
鴻禧菇 2 盒
紅甜椒絲少許

調味料：
鹹塊（約一顆黃豆大小）
海鹽 1 大匙
甘草水少許
芡汁少許

殺畜生時，畜生臨死時，心生出恐怖感、仇恨感、
報復感，從牠性情中湧出怨恨仇恨感就生出一種毒。
所以，人吃眾生肉，就是在吃毒呢！

——宣化上人

# 百頁卷

（12 卷）

步　驟：1. 溫水入鹼塊待化，放入百頁略拌，待百頁變色即撈起，入水漂去鹹味，撈起，瀝乾水份，備用。髮菜洗淨，備用。

2. 油入炒鍋，放入香菇絲爆香，加入醬油略炒，加入高麗菜絲、紅蘿蔔絲、洋芋絲、海鹽、甘草水，略炒至菜軟，起鍋，備用。

3. 用百頁包入步驟 2.，捲起（如春卷），用乾地瓜粉抹於封口，排入平盤，入蒸鍋蒸 10 分鐘，取出排盤。

4. 水 1 碗入鍋，加入海鹽少許、甘草水少許、髮菜少許，待滾，徐徐倒入少許芡汁拌勻，起鍋，淋在百頁卷上即成。

秘　訣：1. 泡百頁之過程中（100 張百頁，約使用 1 塊鹼塊的比例），要輕輕地不時翻動，讓每一片百頁皆泡在水裏面，泡至變成淺乳白色，再放在水龍頭下面，用小管水，讓水一直流動漂洗（約 30 分鐘），至水變清澈無鹹味為止。

2. 要食用前，才從蒸鍋取出，最後再淋上芡汁，百頁才不致有變黃變硬之感。

材　料：

1. 百頁 12 張
   鹼塊（約一顆黃豆大小）
2. 高麗菜絲 1 碗
   紅蘿蔔絲半碗
   香菇絲半碗
   洋芋絲 1 碗
   髮菜少許

調味料：

地瓜粉 1/2 茶匙
醬油 1 大匙
海鹽少許
甘草水少許
芡汁少許

閒看蝸牛走　親為築坦途　此君家累重　莫教步崎嶇

　　　　　　　　　　　　　　　　　　──民・豐子愷

# 五彩球

（約4人份）

步　驟：1. 麵粉、炸粉加入海鹽拌勻，放入高麗菜絲、洋芋絲、芹菜段、紅蘿蔔絲拌勻，
再抓一小撮（含各色蔬菜）在手心搓成圓形備用。

2. 將步驟 1. 入油鍋，炸成金黃色，起鍋，瀝乾油份，備用。

3. 炒鍋放入番茄醬、白醋、糖、鳳梨片、水 1 碗、茭汁少許，待滾，放入步驟 2.
拌均勻，即可起鍋上菜。

知　識：　鳳梨，味甘酸，有生津止渴、助消化、止瀉、利尿之效。鳳梨的維他命 C 含
量少，但有豐富的維他命 B1，可以消除疲勞與增進食欲。食用生鮮鳳梨比食
用鳳梨罐頭好，因為罐裝鳳梨內的蛋白活性酵素已遭破壞。

材　料：
高麗菜細絲 2 碗
紅蘿蔔細絲半碗
洋芋細絲 1 碗
芹菜段 1 碗
鳳梨片 1 碗

調味料：
A 海鹽 1/2 茶匙
. 麵粉 1 碗
炸粉半碗
茭汁少許
番茄醬 2 大匙
B. 白醋 1 大匙
糖 1/2 茶匙

如果我們比動物高尚，
那麼我們重複動物的行為就是錯誤的。
——甘地（Mahatma Gandhi, 印度國父）

# 精緻素卷

（約 4~6 人份）

步　　驟：1. 香菇洗淨泡軟，切細絲。平盤抹油，備用。

2. 油 2 大匙入炒鍋，待熱，放入香菇絲略炒，加入醬油爆香，盛起，備用。所有的調味料加上水 2 碗，用小火煮約 10 分鐘，八角撈起不要，湯汁備用。

3. 將豆皮排好（上面 3 張，下面 2 張，平面相對，重疊成一圓形），淋入步驟 2. 湯汁（湯汁要保持熱度），使每一張豆皮有濕度，洒一些香菇絲在內（不要太多）成長條形，從裏向上摺，再左右向內摺，再對摺（如春卷般，約 25 公分長，8 公分寬），放入抹油的平盤內入蒸鍋，用小火蒸約 20 分鐘，取出待涼，煎成兩面金黃色（或入油鍋炸），切 2 公分寬片，排入盤中即可上桌。

材　料：

豆皮 5 片（半圓）

香菇 5 朵

調味料：

麻油 1/3 大匙

八角 1/3 個

糖 1/4 大匙

醬油 1 茶匙

油 2 大匙

痛就是會痛，不管它是加在人類或野獸的身上。
——韓福瑞・布里美博士

# 七里千層

（約 4~6 人份）

步　驟：1. 將調味料全部加入一碗中，調均勻。

2. 厚豆包一片片打開，放入步驟 1.之調味料中，拌勻，使每一塊豆包皆有調味料。

3. 取一器皿（可容納 8 片豆包，大小適中的碗）將步驟 2.的豆包，一片疊一片（重疊）排入碗中，在最下面一層鋪上一張錫箔紙，用一平盤蓋上，再用繩子綁成十字形，拉緊，打一活結。放入蒸鍋用小火蒸 30 分鐘，取出待涼，倒扣，切成大小適中，排入盤中，洒上少許嫩薑絲、芹菜末即可食用。

秘　訣：　盤子與碗之間要緊密，繩子要綁緊。

材　料：
厚豆包 8 片
嫩薑絲少許
芹菜末少許

調味料：
甘草水 1/5 茶匙
地瓜粉 1 大匙
醬油 2 大匙
糖 1/2 茶匙
麻油 1 大匙
澄粉 1 茶匙
油 2 大匙

眾生肉都有毒，這種毒素很微細微細，
當你吃時不會覺察，但慢慢地就中了這種毒素。
而且這種毒質特別厲害，沒有什麼藥品可以解，
因為其中的冤業太深了。

——宣化上人

# 香酥牛蒡

（約 4~6 人份）

步　　驟：
1. 牛蒡去皮洗淨，斜切薄片泡水，待用時才瀝乾水份。
2. 油炸粉倒入平盤，放入牛蒡片拌均勻，使每片牛蒡均勻沾上粉，入油鍋，以中小火炸成金黃色，改大火，撈起，瀝乾油份。
3. 炒鍋放入醬油、糖、番茄醬、水少許，調均勻煮滾，放入步驟 2.之牛蒡，拌均勻，起鍋，排入盤內，洒上少許芝麻即可上桌。

秘　　訣：　牛蒡切後，要放入水中（可加些醋），待要用時再撈起，才不致氧化變黑。

知　　識：　胡蘿蔔和番茄烹調或加工後反而更營養！番茄中所含的茄紅素，是一種強力的抗氧化劑，而茄紅素和胡蘿蔔素也有相似的特性，放得愈久、愈紅、愈成熟的番茄，所含的茄紅素愈多。

材　料：
牛蒡 1 條
油炸粉
（超市或素食材料行可買）

調味料：
醬油 1/2 茶匙
番茄醬 1 大匙
熟芝麻少許
糖 1 大匙

有等迷人不安康　對神祈許賽豬羊
殺生冤業前生事　如何雪上又加霜
休勿認定是豬羊　改頭換面又遷場
若車輪轉相還報　雲海騰空無處藏
　　　　　　　　——宣化上人

# 銀芽膳糊

（約 4~6 人份）

步　驟：1. 綠豆芽洗淨，去老根，瀝乾水份，備用。香菇洗淨泡軟，擠乾水份，先去香菇蒂，再切中粗條狀，加入醬油、糖醃泡，備用。
2. 香菇裹上地瓜粉，入油鍋炸成金黃色，起鍋，瀝乾油份。
3. 油 1 大匙入炒鍋，放入綠豆芽略炒，加入醬油、烏醋、翻炒，再入步驟 2.之香菇拌炒，徐徐倒入少許芡汁拌均勻，洒入少許香油拌勻即可起鍋。

知　識：　烏醋與醋是完全不相同的調味品。烏醋屬於調理醋，係由洋蔥泥、胡蘿蔔泥、大蒜泥…等調和而成。素食者在購買時，須認清是「素食烏醋」。素食烏醋是以糯米醋、糖、鹽、香菇、海帶、蔬菜、果實製成。

材　料：
綠豆芽 1 斤
香菇半碗

調味料：
醬油 2 大匙
素食烏醋 1 大匙
小麻油少許
地瓜粉 1 碗
香油少許
芡汁少許
糖少許

今日我吃你肉　　明日你啃我骨
互相果報何時休　　趕快醒悟回頭
眾生還吃眾生肉　　仔細思量人吃人
徹底因果脫紅塵　　快樂風光本分
　　　　　　　　　　——宣化上人

# 香酥脆燦

步　驟：1. 香菇洗淨泡軟，擠乾水份，先去掉香菇蒂，再沿著香菇的圓，剪成小指粗細長條狀。
2. 將步驟 1.之香菇條裹上麵粉，入油鍋炸成金黃色，起鍋備用。
3. 醬油、糖、番茄醬、水 1 碗，入炒鍋調均勻，煮滾；加入步驟 2.之香菇條拌均勻，即可起鍋排盤，洒上少許芝麻，即可上桌。

知　識：　芝麻有補血、潤腸、烏髮、生津、通乳、長肌肉、填髓腦之效。芝麻有降低膽固醇的作用，血管硬化、高血壓者食之有益。然而芝麻有助脾燥熱的作用，故患牙痛、腸胃疾病者，不宜食用。芝麻是一種發物，患有皮膚瘡毒、濕疹、搔癢等皮膚病者忌食。

| 材　料： | 調味料： |
|---|---|
| 乾香菇 1 碗 | 番茄醬 1/2 茶匙 |
| 麵粉 1 碗 | 醬油 1 大匙 |
| 芝麻少許 | 糖 1 大匙 |

凡是動物，皆知疼痛，皆貪生怕死，不可殺害。
若殺而食之，則結一殺業，來生後世，必受彼殺。
——印光大師

# 糖醋金珀

（約 4~6 人份）

步　驟：1. 素塊先泡軟洗淨，擠乾水份，加入醬油略醃（約 1 分鐘）。紅甜椒、青椒洗淨去籽，切 2 公分大小正方。
2. 步驟 1.之素塊裹上麵粉，入油鍋，用中火炸成金黃色，起鍋，瀝乾油份，備用。紅甜椒、青椒入炒鍋，大火炒約 2 分鐘，起鍋備用。
3. 番茄醬、白醋、糖、水 1 碗入炒鍋，調均勻，煮滾，徐徐倒入少許芡汁拌勻，最後加入步驟 2.拌均勻，即可排入盤中上菜。

秘　訣：　素塊要先泡軟後，再換洗約 2~3 次，擠乾水份，加入醬油略醃，可以增加美味。

材　料：
素塊 1 碗
紅甜椒 1 個
青椒 1 個

調味料：
1. 醬油 1 大匙
　 麵粉 2 碗
2. 番茄醬 2 大匙
　 白醋 1 大匙
　 糖 1/2 茶匙
　 芡汁少許

一種健康而且合乎人道的素食飲食方式，
以挽救生命並節省金錢。
——雀兒喜・柯林頓（比爾・柯林頓的女兒）

# 荷葉粉蒸山藥

（約 6 人份）

步　驟：1. 洗淨所有材料。豆包入油鍋炸成金黃色，起鍋備用。山藥去皮洗淨，切 3 公分厚、10 公分長段，備用。乾荷葉入開水中燙軟，撈起，瀝乾水份，備用。

2. 甜麵醬、糖、醬油、小麻油、油、粉蒸粉拌均勻，將步驟 1.之豆包、山藥加入拌均勻。

3. 取一塊豆包，打開，包入一塊山藥及些許醬料，同時用荷葉包入，摺起來（如枕頭般），放入蒸鍋蒸約 30 分鐘，即可起鍋排盤上菜。

知　識：　山藥，味甘，有益氣養陰，補肺健脾益腎之效。感冒虛弱、便溏腹瀉者，宜炒黃再用；藥性滋補緩和，用量宜大，太少則效果不彰。

材　料：
豆包 6 片
山藥（淮山）半斤
乾荷葉
（大市場可買，一大片
約可切 2 ～ 4 片）

調味料：
甜麵醬 2 大匙
糖 1/2 茶匙
醬油 1 茶匙
小麻油少許
油 1 大匙
粉蒸粉 6 大匙
（超市或雜貨店可買）

何謂有道德的行為？
就是絕不殘害生命，因為殺生是罪惡的根源。
——《提魯克魯經》（Tirukural 印度教手稿）

# 八寶豆腐

（約 4~6 人份）

步　驟：
1. 豆腐洗淨，瀝乾水份，切 3X5 公分，入油鍋炸成金黃色，起鍋，中間挖空（不要透至底部），備用。冬菇泡軟，擠乾水份，切細丁。刈薯去皮，切細丁。
2. 油 1 大匙入炒鍋，放入冬菇丁略炒，加入刈薯丁、玉米粒、紅蘿蔔丁、海鹽、甘草水，略拌炒乾為止，再洒地瓜粉拌勻，備用。
3. 步驟 1.之豆腐，中間抹一層地瓜粉，填入步驟 2.之食料，上面再洒些地瓜粉，加入醬油、水，用小火煮約 2～3 分鐘，再加入少許芡汁、香油，起鍋，排入盤中即可上桌。

知　識：豆腐，性微寒味甘，有益氣和中、寬腸下氣、生津潤燥、清熱解毒、利尿消腫之效；生食，能清肺止咳、益胃止津。豆腐比豆漿更易消化，其蛋白質的消化率約為 95%，石膏和鹽鹵能增加豆腐裏面的鈣鎂含量。

材　料：
紅蘿蔔細丁半杯
老豆腐 2 塊
刈薯 1/4 條
玉米粒半杯
冬菇 3 朵

調味料：
海鹽 1 大匙
甘草水少許
地瓜粉少許
醬油少許
香油少許
芡汁少許

佛教從有史以來，沒有發生過戰爭，因為佛教的戒律，
第一條就是不殺生，不但不殺人，就是其他的動物也不殺，
而且還要放生，保護一切動物的安全，所以沒有戰爭。

——宣化上人

# 金色素卷

（12 卷）

步　驟：1. 金針菇去根部，洗淨對切。
2. 油 1 大匙入炒鍋，放入冬菇絲炒香，加入豆干絲略炒，加入紅蘿蔔絲、芹菜段、金針菇、海鹽、醬油、糖，炒至入味即可起鍋。
3. 每 1/4 張之豆皮，包入步驟 2.之食料，捲成春卷形，再沾上少許麵糊封口。用中小火待油熱，入油鍋炸成金黃色，起鍋，瀝乾油份，排入盤中即可上桌。

知　識：海水含有豐富的鉀、鎂、鈉、鈣等礦物質，因此一般人都知道海鹽不但可當食品調味料，也可用來做消毒、殺菌、洗淨，甚至可當減肥、美容、治療青春痘的利器。

材　料：
1. 豆皮 3 張（半圓型）
　一張切 4 張 ＝12 張
2. 紅蘿蔔絲半碗
　冬菇絲半碗
　豆干絲 1 碗
　金針菇 1 把
　芹菜段適量
3. 麵糊 ＝ 麵粉 2 大匙＋水 2 大匙拌勻

調味料：
海鹽 1/2 茶匙
糖 1/2 茶匙
醬油少許

如果牠們會說話，我們還敢殺牠們嗎？
——伏爾泰（Voltaire,法國哲學家·詩人）

# 黃金裹

（約 4~6 人份）

步　驟：1. 豆干洗淨，切細丁，備用。荸薺去皮，切細丁。冬菇洗淨泡軟，切細丁，備用。青江菜洗淨，汆燙，用冷開水漂涼，瀝乾水份，一部份切細末，一部份整顆排於盤邊，備用。

2. 油 1 大匙入炒鍋，待熱，放入冬菇細丁，炒香；加入醬油，炒香；加入豆干細丁，略炒；加入荸薺細丁、糖，翻炒均勻，起鍋備用。

3. 取一張豆皮，斜角對著自己，將步驟 2. 之食料，取少量，放入豆皮之中，從內往外摺起來，再左右角拉起，打一結（如包袱狀），入油鍋，用中小火略炸至呈金黃色，即可起鍋（不可炸久，易焦）。

4. 炒鍋入少許油，加入醬油爆香，加水半碗、甘草水少許、糖少許，再放入黃金裹（步驟 3.）燒透，再徐徐倒入少許茨汁拌勻，即可起鍋排盤上菜。

材　料：
1. 豆皮 3 張 （半圓型）
　 1 張切成 4 張 =12 張
2. 青江菜半斤
　 豆干半斤
　 荸薺 1 碗
　 冬菇半碗

調味料：
醬油 1 大匙
糖 1/2 茶匙
甘草水少許
茨汁少許

我相信任何一個曾經認真維持自己的才能，
或是盡力保持詩人氣息的人，都一定曾經戒絕過肉食。
——梭羅（Henry David Thoreau 美國詩人兼短文作家）

# 清蒸時選

（約 4~6 人份）

步　驟：1. 鮑魚菇洗淨，汆燙，撈起，瀝乾水份，切下硬梗，在大片之鮑魚菇背面（有紋路）切十字刀（不切斷），再將有刀花之面朝上（平滑面朝下），左右往內捲，將鮑魚菇之硬梗放在裏面，以撐住中間之空洞內，排入盤中，加入海鹽、醬油少許、水 1 碗，（或排入酒精爐盤上，加入調味料及水，點上火，直接煮滾，即可食用），入蒸鍋，蒸約 10 分鐘即可取出。
2. 放入辣椒絲、薑絲、芹菜絲即可上桌。

知　識：薑性，有發汗解表、溫中止嘔、溫肺止咳、刺激胃液分泌、加速血液循環、及抗凝作用。薑含有揮發性薑油醇和薑油酚，具有活血、祛寒除濕、發汗增溫等功能，為刺激心臟血管皮膚，使全身毛孔舒張從而散熱出汗。薑也能刺激味覺神經，促使消化液分泌，增強消化吸收功能，有健胃止嘔作用。

材　料：
鮑魚菇 1 斤

調味料：
海鹽 1 大匙
芹菜絲半碗
辣椒絲少許
薑絲半碗
醬油少許

這個「肉」字，就是一個被吃的人與吃肉的人，
吃肉的人在外邊還是個人；被吃的人已經變成了畜生了。
吃肉的人與被吃的人就有一種關係，解不開的冤結，互相罩著。

——宣化上人

# 紅燒腐球

（約 4~6 人份）

步　　驟：1. 洗淨所有材料。白菜切塊狀備用。
2. 豆腐捏碎，加入材料 2.，及海鹽拌均勻（若仍太稀時，可酌量再加入麵粉），搓成約 5 公分大的圓糰，入油鍋炸成金黃色，起鍋備用。
3. 油 1 大匙入炒鍋，待熱，放入醬油爆香，加入白菜、糖略翻動，加入步驟 2. 和海鹽，用小火燜煮約 10 分鐘，即可起鍋排盤上桌。

秘　　訣：中途翻動，要輕，豆腐糰才不會碎掉。

知　　識：香菇可補氣健身、益脾養胃、和血化痰、降低血糖、提高機體免疫功能。香菇含一般蔬菜所缺少的麥角固醇，經日光或紫外線照射，可轉變為維他命 D2，有助於幼兒骨骼發育，對增進兒童記憶力有特殊功能。

材　料：
1. 老豆腐 1 塊（有機）
2. 麵粉半碗
　 芹菜末 1 大匙
　 紅蘿蔔末 1 大匙
　 香菇末 1 大匙
　 刈薯末 1 大匙
3. 卷心大白菜 1 個

調味料：
海鹽 1 大匙
醬油少許
糖少許

以下兩種人絕不會是好人：
一種是揮動武器的人，另一種是大啖肉食的人。
　　　　——《提魯克魯經》（Tirukural 印度教手稿）

# 翡翠白玉

（約 4~6 人份）

步　驟：　1. 蒟蒻絲卷洗淨，汆燙，瀝乾水份，備用。芥藍菜花洗淨，滾水中加入油、海鹽，汆燙，撈起，排入盤中備用。
2. 油 1/2 茶匙入炒鍋，放入蒟蒻絲卷翻炒，加入海鹽、甘草水再翻炒，起鍋，排入盤中即可上桌。

知　識：　甘草具清熱解毒的功能，兼有補益的作用，可提高免疫機能，對抗過敏的疾病。大量使用時，能增進腎上腺素，兼有強心的作用。烹飪時加些甘草水，可增加食物的鮮味，有類似味精的效果。

材　料：
蒟蒻絲卷 1 盒
芥藍菜花半斤

調味料：
海鹽 1/2 茶匙
甘草水少許

種種災難，都是因為殺生而結的怨氣充滿宇宙才形成的。
人人若能戒殺放生，不吃一切肉類，
則人的暴力思想就會消除。

——宣化上人

# 佛光普照

（約 4 人份）

步　驟： 1. 1.鍋巴入油鍋炸成金黃色，起鍋，瀝乾油份，排入盤中備用。蒟蒻洗淨，切片，汆燙，撈起備用。
2. 油 1 大匙入炒鍋，放入醬油爆香，加入番茄醬、海鹽、水 1 碗、蒟蒻片，待滾，徐徐倒入少許芡汁拌勻，起鍋，淋在步驟 1.之鍋巴上，即可上桌。

秘　訣： 或者，不將醬汁淋灑在鍋巴上，可以在食用時，直接沾醬料用之。（此方法，不會因為鍋巴泡在醬汁中，以致鍋巴變軟、不脆，使得口感差一點。）

知　識： 蒟蒻，性溫味辛，有化痰散積、行瘀消腫、利尿之效。蒟蒻含水分 97.4％，幾乎沒有營養，食用後不會分解，是肥胖者減肥的最佳食物，而且具有促進腸胃蠕動、廢物排泄等功能。

材　料：
鍋巴半斤
（大型素食材料行可買）
蒟蒻 2 片

調味料：
淡色醬油 1 大匙
番茄醬 3 大匙
海鹽 1/2 茶匙
芡汁少許

夕日落江渚　炊煙起村墅　小鳥亦歸家　殷殷戀舊主
　　　　　　　　　　　　　　　　　──弘一大師

# 上海鹹菜筍

（約 4 人份）

步　驟：　1. 洗淨材料。鹹菜切細段（約 2～3 公分長）。冬筍去外殼，洗淨，切滾刀，備用。
　　　　　2. 將冬筍入鍋，加入水（蓋過材料），用大火煮開，小火煮約 30 分鐘，再加入鹹菜煮至鹹菜爛，最後加入調味料，即可盛入碗中上桌。

秘　訣：　鹹菜已很鹹，待起鍋前，試鹹淡後，再酌量增加調味料。

知　識：　鹹味是人類最主要的烹調方式，它不但能去腥、除膩，還能提升食物的鮮味。

材　料：
上海鹹菜半斤
冬筍半斤

調味料：
甘草水少許

不要殺生！
一切眾生，自無始劫以來，皆為我的父母親友眷屬。
前生的父母造了罪孽，今生可能墮為豬、馬、牛、羊，
假如你恣情宰殺畜生，就等於間接弒害你的父母。

——宣化上人

# 白菜扣

（約 4~6 人份）

步　驟：
1. 竹筍去外殼，去老皮，入鍋煮熟，撈起待涼，放直對切（頭向下，尖端朝上），放平切片，再切絲（上一段不切，只切下段：不切斷，像鬍鬚），入油鍋炸成金黃色，起鍋，備用。白菜洗淨，切粗絲。金針菇去根部，洗淨，對切，備用。花菇洗淨，泡軟；2 朵切絲，留 1 朵不切。芋頭去皮，洗淨，切大小適中，入油鍋，炸至金黃色，起鍋，備用。

2. 油 1 大匙入炒鍋，加入醬油炒香，再放入花菇絲爆香，加入白菜絲、海鹽、甘草水少許，炒至菜軟，加入素沙茶醬、素烏醋拌勻，淋入少許芡汁，起鍋備用。

3. 取一中碗，排入一朵花菇在碗中間，沿著週邊，排入步驟 1.之竹筍後，放入金針菇一層，再放一層步驟 2.之白菜後，再放一層芋頭；最後，在最上面用一張保鮮膜蓋住，入蒸鍋，用中火蒸 30 分鐘，起鍋，拿掉保鮮膜，倒扣於盤中，即可上桌。

材　料：
竹筍 1 斤
白菜半個
金針菇 1 把
花菇 3 朵
芋頭半個

調味料：
素沙茶醬 2 大匙
素烏醋 1 大匙
海鹽 1/2 茶匙
醬油 2 大匙
甘草水少許
芡汁少許

天戈兵革鬥未止　鳳凰麒火受驚忡
臨刑遇赦恩無極　彼壽隆兮爾壽隆
　　　　　　　　　—唐・杜甫

# 茭白豆苗

（約 4 人份）

步　驟：
1. 猴頭菇洗淨，擠乾水份，撕小塊，入油鍋炸成金黃色，起鍋，瀝乾油份，備用。茭白筍去外殼，洗淨，切滾刀。豆苗去老梗，洗淨，備用。
2. 油 1 大匙入炒鍋，待熱，入豆苗、海鹽少許，用大火炒軟，起鍋，沿盤邊排好，備用。
3. 油半茶匙入鍋，待熱，入醬油炒香，放入茭白筍、糖少許、水半碗，加入步驟 1.之猴頭菇，用中火煮約 5 分鐘，淋入少許芡汁拌勻，起鍋，排入步驟 2.之盤內，即可上桌。

知　識：
根據一群美國醫生的研究報告顯示：每年因肉食而造成的醫療費用，相當於因吸菸致病的醫療費用，估計大約在五百億美元左右。另一份醫學研究報告也指出：美國每年大約要花一億四千萬到一億七千一百萬美元的額外支出，作為吃肉的醫療代價。

材　料：
猴頭菇罐 1 罐
茭白筍 3 條
豆苗半斤（300 公克）

調味料：
海鹽適量
醬油少許
糖少許
芡汁少許

無論是任何時期、任何地方，
我都不認為肉食對我們來說是有必要的。

——甘地

# 雙喜宮爆

（約 4 人份）

步　驟：
1. 蒟蒻汆燙。乾辣椒洗淨切段。
2. 油 1/2 茶匙入炒鍋，待熱，放入乾辣椒爆香，加入醬油炒香，加入水 1 碗、糖、甘草水，煮滾，淋入少許芡汁，起鍋。
3. 蒟蒻切約 1 公分寬段，排入盤中，淋上步驟 2.之醬汁即可上桌。（或直接將蒟蒻倒入步驟 2.，翻炒均勻，即可起鍋。）

知　識：
醬油不宜倒入菜鍋內長時間蒸煮，加熱時間過長、溫度過高，會使醬油營養價值降低。而且不可將醬油瓶、桶放置在爐台、暖氣附近等高溫地方，也不可放置在陰暗潮濕不潔處，否則容易產生一層由產膜酵母菌造成的白膜或白花（是一種有害微生物）。

材　料：
紅、白蒟蒻各 3 片

調味料：
乾辣椒半碗
醬油 1 大匙
甘草水少許
糖少許
芡汁少許

體面宴客

114

肉類對身體有害，不論它是影響肉體的哪個部份，
對心靈與靈魂也會有相對的影響。

——愛倫・G・懷特

# 同舟共濟

（約 4 人份）

步　　驟： 1. 猴頭菇取出，以手掰成小朵，洗淨，炸成金黃色。木瓜對剖，去籽，備用。
2. 油 1 大匙入炒鍋，放入醬油炒香，放入猴頭菇、菱角同煮，加水 2 碗，用小火燜煮約 25 分鐘，淋入少許甘草水、芡汁，翻炒均勻，起鍋，排入木瓜中，放盤中上菜。

知　　識： 猴頭菇，利五臟、助消化，並且還具有抗癌作用。猴頭菇所含的不飽和脂肪酸，可降低膽固醇，所以是高血壓和其他心血管等疾病患者的理想保健食品。

材　料：
猴頭菇罐頭 1 罐
菱角半斤
木瓜 1 個

調味料：
醬油 1 大匙
甘草水少許
芡汁少許

人無法不傷害生物而得到肉食，一個傷害有知覺生物的人，
將永遠得不到天佑。所以，避開肉食吧！

　　　　　　　　　　　　　　　——瑪奴（印度教規創始人）

在中國陝西省的彬縣有一位安姓的屠夫，
家中養了一隻母羊和一頭小羊。

有一天，
屠夫想把母羊宰了，
於是將母羊的四蹄捆綁起來：
這時，
小羊忽然對著屠夫前膝雙跪，
淚水不停地流下來。
安屠夫感到很奇怪，
決定先將刀子放在地上，
並去叫他的徒弟來幫忙殺。

等到回來的時候，刀子不見了，
原來羊銜到牆角下面藏了起來，
小羊自己還臥在刀子上面。
屠夫見了這般情況，
再也不忍心殺掉母羊，
於是將這對羊母子一起送到放生園去放生了。

溫馨湯品

一口香暖
溫熱了腸胃
洋溢著滿足
嗯 真好喝

# 柴把五彩湯

（約 4~6 人份）

**步　驟：** 1. 將每一種材料各取一條，用瓠瓜絲綁起打結，即成柴把。

2. 水入湯鍋煮滾，加入步驟 1.之柴把，用小火煮約 30 分鐘，加入海鹽、甘草水，即可起鍋。

**知　識：** 瓠瓜有許多別名，蒲仔、匏瓜、葫蘆等等，主要和果實的形狀有關，瓠瓜是長形，匏瓜是圓形，扁蒲是扁圓形，葫蘆則是上下膨大而中夾細腰。瓠瓜的熱量很低，水分含量高達 95％，是絕佳的夏日菜餚。

**材　料：**
白蘿蔔粗條 1 碗
紅蘿蔔粗條 1 碗
香菇粗絲 1 碗
酸菜粗條 1 碗
瓠瓜絲 1 把

**調味料：**
海鹽 1 大匙
甘草水少許

戒殺不是説我吃吃齋，這就算戒殺了。
不是説我親手沒有殺過生，這就算沒有犯殺戒，
必須要你心裏對人不生瞋恨，這才算。

——宣化上人

# 羅漢海會

（約 4~6 人份）

步　驟：1. 將白蘿蔔、牛蒡、馬鈴薯、地瓜、紅蘿蔔、菜心、芋頭等，去皮、洗淨、切大塊。高麗菜洗淨，剝成大片。紅棗、腰果洗淨，備用。

2. 水入湯鍋（蓋過材料的水量），煮滾，放入牛蒡煮約 10 分鐘，加入白蘿蔔再煮約 10 分鐘，加入紅蘿蔔、腰果、紅棗續煮 10 分鐘，加入地瓜、菜心、馬鈴薯、芋頭續煮 10 分鐘，最後加入高麗菜續煮約 5 分鐘，加入海鹽拌勻即成。

變　化：　亦可不加任何調味料，原汁原味有另一番風味！

知　識：　牛蒡根能驅風利尿、清熱解毒，還能促進人體新陳代謝，有預防糖尿病、高血壓以及防止人體早衰的作用。近年研究發現，牛蒡外皮營養成份高，不需削皮，準備乾淨菜瓜布刷淨即可。切好的牛蒡絲泡入白醋之中，不易氧化變黑。

材　料：
白蘿蔔 1 條　　菜心 1 條
紅蘿蔔 1 條　　芋頭半條
馬鈴薯 2 個　　地瓜 1 條
高麗菜半個　　紅棗 10 個
牛蒡 1 條　　　腰果 1 碗

調味料：
海鹽 1 大匙

聖人離者，以肉能生無量諸過，失於出世一切功德，
云何言我聽（允許之意）諸弟子食諸血肉不淨之味。
　　　　　　　　　　　　　　　——《大乘入楞伽經》

# 蘿蔔味噌湯

（約 4 人份）

步　驟： 1. 將白蘿蔔洗淨，切 1 x 3 公分長條。海帶芽洗淨，瀝乾水份。味噌加入少許溫水，調開，備用。

2. 水入湯鍋，待水滾，放入白蘿蔔用大火煮開，小火熬至蘿蔔熟透、香味四溢（或成透明狀），加入味噌、海帶芽拌均勻即可起鍋，入湯碗中上菜。

知　識： 白蘿蔔所含的維他命 C 含量是檸檬的兩倍，所含的鈣質是菠菜的兩倍以上，蘿蔔還含有高量澱粉，對幫助維持消化道機能很有助益。值得注意的是：不論紅蘿蔔或白蘿蔔的營養成份，都大部份儲存在蘿蔔皮裏，如果吃的是削掉蘿蔔皮的蘿蔔，營養價值則只剩一半。

材　料：
白蘿蔔 1 條
海帶芽 1 大匙

調味料：
味噌半碗

我個人認為，單憑素食對人類性情的影響，
就足以證明吃素對全人類有非常正面的感化作用。
——愛因斯坦（Alber Einstein）

# 十全大補湯

（約 4 人份）

步　驟：1. 十全大補帖入水，蓋過材料，用大火煮開，小火熬出味（約 30～40 分鐘），瀝出湯汁，備用。麵筋丸用溫水泡軟。素吉切大塊，入油鍋炸成金黃色，備用。

2. 將所有材料加入步驟 1.之補湯，煮約 30 分鐘，加入海鹽即可起鍋盛入湯碗上菜。

變　化　用中藥熬的湯汁，本身已有香、甘味，亦可不加任何調味料。

知　識：　所謂十全大補，指的是四君子湯、四物湯加黃芪和桂枝；四物湯補血，四君子湯補氣，十全大補湯能調節活動，提高機體適應性，促進代謝，增進身體功能。感冒者和孕婦則不宜服用，以免過於燥熱。

材　料：
十全大補藥一帖
炸麵條 3 片
麵筋丸 4 個
素吉 2 個

調味料：
海鹽 1/2 茶匙

若想把世界消毒，怎麼辦？
就要大家一起吃齋不吃肉。能吃齋，毒就會日日減少。
——宣化上人

# 合家歡砂鍋

（約 4～6 人份）

步　驟： 1. 猴頭菇洗淨，擠乾水份，分小塊，入油鍋炸成金黃色，起鍋，瀝乾油份，備用。素翅洗淨，泡軟備用。芋頭丁入油鍋炸成金黃色，起鍋，瀝乾油份。草菇洗淨，略汆燙。洋菇洗淨，略汆燙，切花，在洋菇的正面切直、橫格子狀（但不切斷），入油鍋略炸，起鍋備用。金針菇去根部，洗淨。竹笙洗淨泡軟，切約 4 公分長段。竹筍去外殼洗淨，直切薄片，再切成鬚狀（上為細條狀，底部不切斷），入油鍋炸成金黃色，起鍋，瀝乾油份。大白菜洗淨，切 1 公分寬絲，備用。

2. 大鍋加入水（蓋過材料的水量），待滾，放入所有材料及適量的海鹽，蓋上鍋蓋，續煮約 30 分鐘，再放入砂鍋，洒上枸杞煮開即成。

知　識： 人為了吃肉而多用了十二倍的水量，使得水力發電的供水不足，被迫另外尋求其他更昂貴、更複雜、更污染的發電方法，大大地提高了社會成本。

材　料：

猴頭菇罐 1 罐　　　草菇 1 碗
大白菜小 1 顆　　　洋菇 1 碗
芋頭丁 1 碗　　　　竹筍 1 條
金針菇 1 把　　　　參鬚 5 條
竹笙 5～6 條　　　　川芎 5 片
素翅 1 片　　　　　枸杞少許

調味料：

海鹽適量

現在，我可以平靜地注視著你，因為我已經不再吃你了。
　　　　　　　　　　　　　　——法蘭茲・卡夫卡

1949 年冬天，
在英格蘭島舉行的一項「長途競走」運動中，
一位 56 歲研究蔬菜食物療病的專家芭芭拉‧摩爾醫師，
她以 27 小時 30 分鐘走完 110 英里，
打破了當時所有年輕人的記錄：

誰知不到 3 個月，
這位女醫生又以 20 天的時間，斜穿英格蘭島，
完成了一千英里的競走，轟動了英倫三島。

在歡迎她的宴會上，
新聞記者問她這一次「長途競走」的感想，
她微笑地說：
「我覺得非常愉快，這次步行的目的，乃是想以身作則，
證明唯有每餐素食的人，才會有強健、清醒和潔淨的生活！」

傳統點心
　　別有風味
既可配茶
　　也可當菜
快來
　　嚐嚐

風味點心

Makes a Healthy and Easy Life

# 馬打滾

步　　驟：1. 將糯米粉 2/3 杯入一盆中，沖入 2/3 杯熱開水，拌搓成糰；剩餘的 1/3 杯糯米粉以冷水拌搓成糰，再把 2 糰混合，拌搓均勻，分成 24 個。芝麻粉加入乳瑪琳、糖粉拌均勻，搓成糰，分成 24 個備用。

　　　　2. 取一糯米糰，壓扁，包入芝麻糰，搓成圓球形。

　　　　3. 將步驟 2.放入滾水中煮至浮起來，撈起，裹上一層花生粉，即可排入盤中上菜。

變　　化：也可買冷凍的湯圓，但口感不如現做的好吃。

知　　識：糯米性溫味甘，可溫補強壯、健脾益胃、除煩渴、止虛寒泄痢、止汗、止渴。糯米性溫，黏滯，煮熟性熱，多吃發內熱，且不易消化，損傷脾胃功能，使飲食減少，故不宜太常吃。

材　料：

外皮：糯米粉 2 杯　　　　　　內餡：芝麻粉半杯
　　　開水 1 杯　　　　　　　　　　乳瑪琳適量
　　　花生粉適量　　　　　　　　　　糖粉適量

當我們在殺動物時，牠們也知道死苦，哀哀而鳴，
而這哀鳴就是怨恨。所以殺了牠，就與牠結下了冤業，
將來冤冤相報，生生相殺，永脫不出生死輪迴。

——廣欽老和尚

# 棗泥鍋餅

（約 4 人份）

步　驟：　1. 將外皮的材料混合均勻成濃稠汁液（中等程度，不可太濃，亦不可太稀）。內餡的材料混合均勻，揉搓壓成 2 片備用。

　　　　　2. 油少許抹入不沾鍋，用小火將步驟 1.淋入鍋內，並拿起鍋子沿著鍋滾動，使成一薄圓片，待定型，在中間鋪入內餡，再將左右方的皮向內重疊（向內摺，外皮的上下也向內摺疊，成一四方形，再翻過來煎，（正面）洒上白芝麻，使兩面成金黃色即可起鍋。

知　識：　大棗有養胃健脾，補血壯神、益氣生津、保護肝臟、提高免疫功能、降低膽固醇之效。大棗有黑棗、紅棗之分。紅棗是採收新鮮棗子晒乾，果皮呈深紅色，即紅棗。黑棗是採新鮮棗後，先將鮮棗煮熟，冷卻晒乾，再放在棗蜜中，用木柴烘焙至棗皮發皺，呈黑色即成。

材　料：

外皮：麵粉 2 碗
　　　澄粉 1 大匙
　　　生白芝麻少許
　　　水 2 碗

內餡：糖
　　　芝麻粉
　　　乳瑪琳
　　　紅豆沙
　　　（或棗泥任選）

天地之大德曰生　如來之大道曰慈
欲得世間無兵劫　除非眾生不食肉
　　　　　　　　　　──古云

# 芝麻煎餅

（約 24 個）

步　驟：
1. 將糯米粉 2/3 杯入一盆中，沖入 2/3 杯熱開水，拌搓成糰；剩餘的 1/3 杯糯米粉以冷水拌搓成糰，再把 2 糰混合，拌搓均勻，分成 24 個。芝麻粉加入乳瑪琳、糖粉拌均勻，搓成糰，分成 24 個備用。
2. 取一糯米糰，壓扁，包入芝麻糰，搓成圓球形。
3. 將步驟 2.沾水，裹上一層芝麻，入平底鍋，微壓成扁形，用小火煎成兩面金黃色即成。

知　識：　芝麻原產胡地大宛（中亞細亞）。漢朝張騫出使西域時引進，在黃河流域首選種植，以後逐漸擴大傳播，成為中國的主要油料作物之一。

材　料：

外皮：糯米粉 2 杯　　　　內餡：芝麻粉半杯
　　　白芝麻 1 碗　　　　　　　乳瑪琳適量
　　　開水 1 杯　　　　　　　　糖粉適量

現在患癌症的人，
多數是因前生或今生殺業太重的緣故。
　　　　　　　——宣化上人

# 糖蓮藕

（約 4~6 人份）

步　驟：
1. 蓮藕洗淨，去皮，備用。糯米洗淨（不用泡），撈起，瀝乾水份。
2. 蓮藕一端藕節處，切開如蓋子，糯米慢慢塞入藕孔內填滿，蓋回切下的藕節蓋，用牙籤固定好。
3. 鍋內加水（蓋過藕節的水量），放入步驟 2.，用電鍋煮至蓮藕軟，熟透（筷子可穿透）。加入冰糖再燜煮半小時即可取出，切片，排入盤中上桌。

知　識：
生蓮藕，性寒味甘；熟蓮藕，性溫味甘。蓮藕生食，可消熱生津、涼血止血、散瘀血；熟食，能健脾胃、登氣養血、止瀉。藕經過蒸熟後，其色由白變紫，由寒變溫，失去了消瘀滌熱的性能，而變為對脾胃有益，有養胃滋陰的功效。

材　料：
圓糯米 1 杯
蓮藕 3 節

調味料：
糖 3 大匙

肉字裏邊兩個人　裏邊罩著外邊人
眾生還吃眾生肉　仔細思量人吃人
　　　　　　　——宣化上人

# 香芹芋仔

（約 4~6 人份）

步　　驟： 1. 小芋頭去皮洗淨。
2. 油 1/2 茶匙入炒鍋，放入海鹽、芋頭、水（蓋過芋頭），用大火煮滾後，改用小火燜煮 30 分鐘，起鍋洒上芹菜末，即可，排盤上桌。

知　　識： 芋頭澱粉顆粒小，僅為馬鈴薯澱粉的十分之一，胃部易於消化，其消化率可達 98.8%。芋頭所含的礦物質中，氟的含量較高，具有防齲、保護牙齒作用。然而，芋頭一次不可吃太多，否則容易脹氣。

材　　料：
小芋頭 1 斤
芹菜末少許

調味料：
海鹽 1/2 茶匙

風味點心

140

即使屠宰場隱密地藏在幾百里外的地方，
你只要吃肉就等於是共犯的行為。
　　　　　　　　　　　　　——愛默森

# 寧波年糕

（約 4~6 人份）

步　驟：1. 寧波年糕切薄片。
　　　　2. 油 1 大匙入炒鍋，放入醬油炒香，加入香菇絲炒香，再入高麗菜絲、紅蘿蔔絲略炒，平鋪鍋內，年糕平鋪於菜上（不要碰到鍋），加入少許水、海鹽，加蓋，用中火煮至年糕軟，即可拌勻起鍋。

變　化：亦可把寧波年糕以蘿蔔糕代替。

知　識：人類的消化系統並不適於消化肉類。肉類在人類胃腸中通過的速度非常緩慢，大約要五天的時間（素食只需一天半就可以通過），在這段期間，由腐肉所產生的致病物質就不斷地接觸到消化器官，結腸部份就產生有毒的情況。

材　料：
寧波年糕 1 包（約 1 斤）
紅蘿蔔絲 1/4 碗
高麗菜絲 2 碗
香菇絲半碗

調味料：
醬油 1 大匙
海鹽 1/2 茶匙

風味點心

夫食肉者，諸天遠離，何況聖人！
是故菩薩為見聖人，當修慈悲，不應食肉。
——《大乘入楞伽經》

# 珠玉湯圓

（約 4 人份）

步　驟：1. 芋頭去皮洗淨，切約 1 公分大丁，入油鍋炸成金黃色，起鍋，瀝乾油份，備用。茼蒿洗淨備用。

2. 水入湯鍋，待滾，加入適量的海鹽，放入湯圓，用中小火煮至湯圓浮出水面，加入步驟 1.之芋頭待滾，再放入茼蒿，用大火煮滾，即成。

知　識：動物被屠宰而死亡後，屍體中的細胞即刻停止工作，肉中的蛋白質就會凝結而分泌出自我分解的酵素，使冗肉腐爛、產生毒性，稱為「屍毒」。

材　料：
湯圓 1 斤（600 公克）
芋頭半斤（300 公克）
茼蒿 1 斤（600 公克）

調味料：
海鹽適量

死肉應該加以埋葬，而不是加以食用。
——克里西·海德

# 健康

## 饮食十二要素

1. 素食：一點葷也不吃，是防治文明病的核心。
2. 粗食：不吃精製的食物。
3. 慢食：一口飯至少嚼 30 下，一頓飯吃半個小時，可以減肥、美容、防癌、健腦。
4. 早食：即三餐皆需早。早餐早食還是一天的「智力開關」；晚餐早食可預防疾病。
5. 淡食：包括少鹽、少油、少糖三大內容。
6. 溫食：不要吃太燙或太冷的食物，可增強消化道功能。
7. 鮮食：食物均以新鮮為上，使多數營養素得以保存。儘量「現吃現做、不吃剩」。
8. 潔食：乾淨，包括無塵、無細菌病毒，以及無污染物。
9. 生食：適合生食的儘量生食。
10. 定食：定時定量進食，久之形成動力定型，是最佳的養生之道。
11. 稀食：食粥養生自古延續至今，除粥外，還包括豆漿等流質。
12. 選食：新世紀已進入個體營養時代，應根據自身情況來選擇食物，使營養更具針對性。

照理說，兒童因為涉世未深，飲食及生活較單純，
故而身體的「雜染」情況較少；
然而，在此五濁惡世，要如何吃得健康，是為人父母者的責任。

「頭好身壯壯」是父母對孩子的普遍期望，
而人腦的主要成分是蛋白質，但不可因為如此，就一味攝取蛋白質物質。
因為，蛋白質分解之後的胺基酸，在身體內或腦內被吸收的百分比尚未全部瞭解；
且肉類蛋白質呈酸性，食用過多，反而使體內的鈣質和維他命減少，
造成精神不穩定，頭腦活力遲鈍，血液循環不好。
所以最好食用果菜類，海藻類等鹼性食品，使血液的酸鹼度呈弱鹼性。
蛋白質以取自黃豆者為佳，因其含酸性物質少。
脂肪對腦的營養也很重要，但宜用植物性油。
其他鹼性果類，則以橘子，柳橙，蜜柑，檸檬等為佳。
蔬菜類亦屬鹼性食物，食用之後，可以使血液呈鹼性，而保持頭腦清晰。

懷少養生概念

有些父母擔心孩子由於素食而缺乏鐵質與鈣質。

鐵是一個重要的營養素，對維持血液的健康而言是必要的。對成長中的孩童而言，適合素食孩童攝取，且富含鐵的食品，每100公克的含鐵量如下：

核果類—花生29.5毫克、芝麻醬20.4毫克、杏仁4.9毫克。

豆類—紅豆、黃豆（五香豆乾、豆腐皮）、小扁豆約含1.7～1.9毫克。

綠葉蔬菜類—菠菜、綠蘆筍、芥藍、青江菜等，約含1.7～1.9毫克。

其他—糖漿、全穀類也是每100公克約含1.7～1.9毫克。喝太多的碳酸飲料，如：可樂（含磷量高）、以及咖啡等，會引起鐵缺乏。

鈣對孩童也是一個重要的營養素，它是構成牙齒和骨骼的主要成份，可維持正常的成長發育。植物性食品中，鈣的良好來源如下：綠色蔬菜、全麥麵包、豆類、扁豆、杏仁粉、芝麻醬和豆腐等。有許多人對牛奶有著迷思，認為牛乳是人類最佳的鈣質來源；其實不然，大量食用牛乳的歐美國家，也同時充斥骨質疏鬆症的問題。

科學家分析 400 多種食物的營養成份，常見植物性食物，以每 100 公克（gm.）的含鈣量毫克（mg），依序排行如下：黑芝麻 1241、紫菜 850、髮菜 699、白芝麻 440、金針 340、包種茶 320、海藻 311、高麗菜 300、莧菜 300、豆皮 280、黑豆 260、芥藍菜 230、薺菜 219、黃豆 216、枸杞 213、紅茶 211、木耳 207，而牛乳僅得 110 毫克。

除了從食物中攝取之外，曬太陽是影響維他命的重要因素，有研究認為：每天讓手臂和臉曬 15 分鐘的太陽，可以提供足夠的維他命，鼓勵兒童適當的戶外活動是有幫助的。

因為文明的發展，電器在生活中佔了重大的比例；也正因如此，所以電磁波與日俱增地傷害我們的健康，然而我們仍選擇受害。在孩童的生活中，尤其離不開電視、電腦、電動遊戲…在此情況下，對於飲食就要注意多攝取胡蘿蔔、豆芽菜、包心菜等食物，以幫助體內清除有害物質。尤其以味噌、海帶，能排除長期接觸電腦、手機等的電磁波和輻射線。

不論在宗教、環保、健康的觀點來看，素食都是為孩子健康所做的最好選擇，但是千萬不要偏食，要均衡攝取各種營養素，要吃得健康、吃得歡喜方算圓滿。

# 真實的故事

種因結果──
種善因就得善果，
種惡因就得惡果。
殺人之父，人也殺其父；
殺人之兄，人也殺其兄；
這都是因果。

總而言之，你對人家不利，
將來也就有人對你不利。

　　　　　　　　──宣化上人

一個真實的故事 1

# 方孝儒

宣化上人・一九八八年六月十七日

方孝儒的祖父貪慕虛榮，喜歡榮華富貴，於是就請……

我們不用在經典上去念經，這世界就是一部真經！若會念的，這部經就念得有功；不會念的，就念得滿身是罪業。人都是善惡夾雜，混淆不清，所以有的時候做善事，有的時候又造惡事。這雖然是往昔的業緣所催，也是一時的無明做成的。明朝時有一位慈壽法師，他作了一首放生的偈頌——

　　　世上多殺生　　遂有刀兵劫　　負命殺汝身　　負財焚汝宅
　　　離散汝妻子　　曾破牠巢穴　　報應各相當　　洗耳聆佛說

這放生偈頌很簡單、很明瞭，可是因為它簡單明瞭，一般人反而都不注意了。深，人家不懂；淺，一般人又不注意了。所以勸人向善，來影響人戒殺放生這件事也是不容易的。慈壽法師說，世界上的人因為不小心，就殺了很多生。因為這樣殺殺不已，就造成世界的戰爭；小的戰爭，就形成大的戰爭。小的戰爭是人殺眾生，大的戰爭是眾生殺人，互相殘殺，殺殺不已，所以說「世上多殺生，遂有兵刀劫」。

「負命殺汝身，負財焚汝宅」，負命，你短人的命，人也殺你的身體；負財，你若劫人的財，人也要把你的住宅燒了。

「離散汝妻子，曾破牠巢穴」，為什麼你妻子、父子互相煎，兄弟、妻子離散？這是因為前世你殺過人家，或破其他眾生的巢穴，所以今生你也骨肉分離，骨肉不全。

「報應各相當，洗耳聆佛說」，因為過去造的業，現在就互相殺，互相還報，報應都是一點都不錯的。所以若懂得這個道理，就會諸惡不作，眾善奉行。你好好聆聽佛說的這個道理，這個道理是現身說法，很明顯地在那兒擺著，可是我們人還是不相信。人，你和他說正經的法，他不信；你若叫他走個錯路，他很快就學會了。

講到這兒，就講到明朝初期，在明成祖的時候，有這麼一個例子：當時有個人名字叫方孝儒，這方孝儒的祖父貪慕虛榮，喜歡榮華富貴，於是就請看風水的先生為他選擇龍地，也就是選擇風水好的地方，要將祖墳葬在那兒。果然選到一塊風水很好的地方，就擇好日子，要把祖墳葬在那兒。這時，晚上就夢見一位穿紅衣服的老人來向他三拜，然後要求說：「你現在所選的這個穴地，是我住了很久的地方！我生生世世、子子孫孫，我的眷屬都在那兒住很久了。請你等我三天，我先叫我的眷屬都搬走，然後你再開這穴地。」

方孝儒的祖父，醒了也不管這個夢。於是就叫人來開這葬墳的地，正開的時候，果然地裏就有個窟窿。這窟窿有一個洞穴，這洞穴裏頭有很多紅的長蟲，也就是紅的蛇，很多很多的！因為蛇都怕磷磺，當時一刨出這種東西，方孝儒的祖父即刻就叫人用磷磺，點火把這些蛇都燒死了。燒死了後，這個穴也開好了。晚間，這位紅衣服的老人又來了，哭著對他說：「你現在殺了我八百個眷屬，將來我要報仇，也會殺你八百個眷屬！」

後來他就得了方孝儒這個孫子，方孝儒的性情很耿直的。當時，明朝燕王本來駐守北京，後來就想做皇帝，想到南京去登基坐殿。明惠帝是他的姪子，他就發兵搶了他姪子的帝位。姪子這下跑了，一跑，就跑到南方去出家了。那麼燕王就在南京坐殿稱帝了，也就是明成祖。

那個時候，方孝儒是一位大學問家，燕王就叫他寫一篇詔書，來表示自己的起兵是正當的。但方孝儒不寫這篇文章，只寫「燕賊篡位」。所謂篡位，就是把皇帝的位置奪過來，也就是奪權。燕王一見他這樣，就很不高興，要他改寫，可是方孝儒說：「我不能寫這種文章。你就是把我殺了，禍滅我十族，我也不寫這種文章！」意思是說，本來禍滅九族，但就算你禍滅我十族，我也不寫。燕王於是就下命令，禍滅他十族！

這十族，就是和他有什麼親戚關聯的，六親眷屬之類的都殺了，包括他的老師也算一族，都一起殺了，所以是十族。那麼禍滅十族之後，這個姓方的，或者也有外出的，就沒有被殺，可是當時還是各處找姓方的，如果找到，還是一樣被殺的；所以就改個姓，改方姓為姓才了。這個是明朝的一段糊塗公案！

這兒我用首偈頌評論說——

因果循環　　代代相傳　　殺人者死　　欠債還錢
明孝儒祖　　焚蛇結冤　　十族被誅　　才呼蒼天

這也是一段這因果的報應，所以說：「因果報應，代代相傳」，這因果報應是從每一代一代相傳下來，這是一種天然的法律（天律），凡是錯因果的，都會被制裁的。所以說：「殺人者死，欠債還錢」，殺人就應該償命，欠債就要還錢。

「明孝儒祖，焚蛇結冤」，明朝方孝儒的祖父，燒紅蛇結冤。「十族被誅，才呼蒼天」，十族都被誅了，才呼蒼天。這「才呼蒼天」有兩個意思，一個是他的後人，改成姓才了，這時就大叫：「蒼天，蒼天哪！咱們怎麼做這個錯事啊，被禍滅十族！」就是埋怨他祖父的意思。又者，有說是方孝儒他受這個果報的時候，也正是報仇雪恨來的，所以這時他的同族才一齊叫：「蒼天啊！」可是上天無路，入地有門，也都沒有辦法了！

# 一個真實的故事2
## 何景章

宣化上人・一九八七年十一月二十八日

燒雞、燒鴨的人，自己也像燒雞、燒鴨那麼被……

「今生富貴是何因？前生齋僧濟貧人。今生貧賤是何因？前世不肯濟貧人。」
何景章是廣東人，他個性頑固不化，行為缺乏慈悲，他只信賺錢、信賭錢。他沒有什
麼大的本事，也不認字，只曉得殺雞、殺鴨，及在烤爐上烤雞、烤鴨，所以他在三藩
市都板街和華盛頓街間開設「安生燒雞鴨店」。開這種熟食店的生意是會賺錢的，可
是賺得錢愈多，造的罪業也就愈重！

他的太太皈依三寶，可是沒有吃齋，還是喜歡吃「好東西」。雖然有一點點的誠心，
也不夠！她來拜佛，為的是什麼呢？就是為了替她丈夫贖罪。她知道殺雞、殺鴨、烤
雞、烤鴨是很重的業障，可是為了維持生活，也沒有改行。她天天到金山寺來拜佛求
懺悔，就是希望佛菩薩慈悲赦免她先生殺生的罪業。

我叫她回去勸她丈夫改行。可是，每勸她丈夫一次，就被他罵一次，他根本不聽她勸。
她丈夫還常常到雷諾去賭錢，有的時候輸了，就輸得很多；有的時候贏了，可是只是
贏一點點。就這麼樣子一直做著殺雞、殺鴨、燒雞、燒鴨的生意。

有一天，我就說他：「你啊！應該改行，就只是倆夫妻，又沒有子女，要那麼多錢幹什麼？造這麼多殺業，應該多做一點善事，來彌補你過去殺生的罪業。」可是這個何景章將信將疑的，也沒有說信，也沒有說不信，還是照常營業，這樣子又過了一個時期。

後來，在半夜，他所住的房子無緣無故就著了火了，救火的人來了，叫門也不開，等把門弄開、窗戶打爛，進去一看，他在床上已經燒死了，燒得就像烤雞、烤鴨一樣的。這就證明燒雞、燒鴨的人，自己也像燒雞、燒鴨那麼被燒死，這是做人的一個不可思議的果報，大家應該拿何景章做個警惕，不要犯這種的毛病，這是要緊的。所以我在這兒評論他幾句——

善惡夾雜　各發其芽
因緣會遇　果報非他
燒雞鴨業　被燒雞鴨
現身說法　誰不嗟訝

又說個偈頌，也是評論他的——

謀生合法當選擇
藐視因果竟胡來
血債換來金無數
骨肉分離空有財
三塗還報輪迴苦
六道往築孽怨臺
世人依然不醒悟
地獄門閉偏要開

一個真實的故事 3

# 念佛鵝

法師開始敲磬，一聲磬響、一句佛號，大約幾十聲後，雄鵝……

在《虛雲老和尚自述年譜》中，有這麼一則真實的故事：
1920 年，有一位張拙仙居士送了雌雄兩隻鵝到昆明雲棲寺放生，並且請求為牠們皈依；皈依時這兩隻鵝都低著頭靜靜地聽著。直到為牠們說戒完畢後，這兩隻鵝舉起頭來，看起來好像很歡喜的樣子。

從此，這兩隻鵝總是隨著大眾上殿。大眾念經時，鵝就乖乖地在一旁看和聽；大眾繞佛的時候，鵝也跟著繞佛，久久都沒有改變這種情形，大眾看了都歡喜牠們。這兩隻鵝白天除了在寺門外的放生池戲水外，晚間還常常幫忙守護山門，使得偷吃放生雞的魷鼯漸漸少了。

如此經過了三年，大約在鵝往生前一個月，每當早晚課的時候，常常看見這兩隻鵝站在大殿門口，伸長著脖子，目不轉睛地瞻仰佛像。牠們聽到大眾僧念佛的聲音，就振動翅膀，高聲鳴叫，看似很歡喜的樣子。有一天，雌鵝在大殿的門前繞行三圈，舉起頭瞻仰佛像，長叫幾聲後，就往生了。雌鵝的羽毛與身形都沒有異樣，大眾以一個小木盒將雌鵝裝殮起來，將牠埋葬於寺外。

雌鵝往生後，雄鵝的鳴叫聲沒有停止，一連幾天都不進食也不戲水，牠在哀怨的鳴聲中，到處尋找著雌鵝，樣子非常悲傷痛苦。雖然如此，牠仍然天天到大殿門口，如以往般地瞻仰佛像。

一日，雄鵝又走到大殿之前，瞻仰佛像；這時候，維那師看到雄鵝憔悴的模樣十分不忍，於是敲了一聲磬，告訴牠：「你失去伴侶，心中很苦。你既然還知道要瞻仰佛像，那麼你應當要念阿彌陀佛，求生西方極樂世界，不要執著留戀這個苦惱之身啊！大眾會為你助念南無阿彌陀佛，你自己可要專心的聽著啊！」於是法師一聲磬響、一句佛號，大約幾十聲後，雄鵝彎曲著脖子作拜佛的姿勢，又旋繞三圈，然後振動翅膀，又收斂翅膀，兩腳一蹲，忽然間就往生了。

這個真實的故事，證實放生功德的不可思議，也印證了佛所說：「一切眾生皆有佛性，皆堪作佛。」我們與動物何異？基本上，最大的區別在於身形的不同與自省能力的差異。所以我們不可輕視任何動物，也更要發大慚愧心，努力修行。因為連鵝都能念佛往生，更何況是身為萬物之靈的人呢！

祖

放生十大功德

# 師的叮嚀

—— 憨山大師放生功德偈

人既愛其壽　生物愛其命
放生合天心　放生順佛令
放生免三災　放生離九橫
放生壽命長　放生官祿盛
放生子孫昌　放生家門慶
放生無憂惱　放生少疾病
放生解冤結　放生罪垢淨
放生觀音慈　放生普賢行
放生與殺生　果報明如鏡
放生又念佛　萬修萬人證

# 法界佛教總會

美國「萬佛聖城」是西方佛教史上第一座大道場，它是宣化上人所成立的，乃西方佛教的發源地，所謂萬佛城，成萬佛，萬佛都來成。

而，萬佛聖城是「法界佛教總會」這把大傘蓋的總部。這把大傘，廣而言之是盡虛空、遍法界的；以我們這個世界來說，略而言之，就是所有宣化上人座下的道場、機構。

它　　　　——以法界為體。

　　　　　——以將佛教的真實義理，傳播到世界各地為目的。

　　　　　——以翻譯經典、弘揚正法、提倡道德教育、利樂一切有情為己任。


為此，上人立下家風：

　　　　凍死不攀緣，餓死不化緣，窮死不求緣，隨緣不變，不變隨緣。

　　　　抱定我們三大宗旨：

　　　　捨命為佛事，造命為本事，正命為僧事；

　　　　即事明理，明理即事，推行祖師一脈心傳。


有人問：法界佛教總會自從一九五九年創立以來，它有多少道場？

　　　　——近 30 座，遍佈美、亞洲。

　　　　　　其中僧眾本著上人所創的「六大條款」：

　　　　　　不爭、不貪、不求、不自私、不自利、不妄語為依循；

　　　　　　並恪遵佛制，日中一食、衣不離體。

　　　　　　持戒念佛，習教參禪，和合共住地獻身佛教。


又有人問：它有多少機構？

　　　　——國際譯經學院、法界宗教研究院、僧伽居士訓練班、法界佛教大學

　　　　　　、培德中學、育良小學等。


這傘蓋下的道場、機構，門戶開放，沒有人我、國籍、宗教的分別，

凡是各國各教人士，願致力於仁義道德、明心見性者，

歡迎您前來修持，共同研習！

# 法界佛教總會及分支道場

法界佛教總會・萬佛聖城
**Dharma Realm Buddhist Association &**
**The City of Ten Thousand Buddhas**
4951 Bodhi Way, Ukiah, CA 95482 U.S.A.
Tel: (707) 462-0939　Fax: (707) 462-0949
http://www.drba.org

國際譯經學院
**The International Translation Institute**
1777 Murchison Drive
Burlingame, CA 94010-4504 U.S.A.
Tel: (650) 692-5912　Fax: (650) 692-5056

法界宗教研究院（柏克萊寺）
**Institute for World Religions**
**(Berkeley Buddhist Monastery)**
2304 McKinley Avenue, Berkeley, CA 94703 U.S.A.
Tel: (510) 848-3440　Fax: (510) 548-4551

金山聖寺　**Gold Mountain Monastery**
800 Sacramento Street
San Francisco, CA 94108 U.S.A.
Tel: (415) 421-6117　Fax: (415) 788-6001

金聖寺　**Gold Sage Monastery**
11455 Clayton Road, San Jose, CA 95127 U.S.A.
Tel: (408) 923-7243　Fax: (408) 923-1064

法界聖城　**City of the Dharma Realm**
1029 West Capitol Avenue
West Sacramento, CA 95691 U.S.A.
Tel: (916) 374-8268　Fax: (916) 374-8234

金輪聖寺　**Gold Wheel Monastery**
235 North Avenue 58
Los Angeles, CA 90042 U.S.A.
Tel: (323) 258-6668　Fax: (323) 258-3619

長堤聖寺　**Long Beach Monastery**
3361 East Ocean Boulevard
Long Beach, CA 90803 U.S.A.
Tel/Fax: (562) 438-8902

福祿壽聖寺
**Blessings,Prosperity, and Longevity Monastery**
4140 Long Beach Boulevard, Long Beach, CA 90807 USA
Tel/Fax: (562) 595-4966

華嚴精舍　**Avatamsaka Vihara**
9601 Seven Locks Road, Bethesda
MD 20817-9997 U.S.A.
Tel: (301) 469-8300

華嚴聖寺　**Avatamsaka Monastery**
1009 Fourth Avenue S.W.
Calgary, AB T2P 0K8 Canada
Tel/Fax: (403) 234-0644

金峰聖寺　**Gold Summit Monastery**
233 First Avenue,West,Seattle, WA 98119 U.S.A.
Tel: (206) 284-6690　Fax: (206) 284-6918

金佛聖寺　**Gold Buddha Monastery**
248 E. 11th Avenue
Vancouver,B.C. V5T 2C3 Canada
Tel: (604) 709-0248　Fax: (604) 684-3754

**佛教講堂 Buddhist Lecture Hall**
香港跑馬地黃泥涌道 31 號 11 樓
31 Wong Nei Chong Road Top Floor, Happy Valley, Hong Kong, China
Tel: (2)2572-7644  Fax: (2)2572-2850

**法界佛教印經會 Dharma Realm Buddhist Books Distribution Society**
臺灣省臺北市忠孝東路六段 85 號 11 樓
11th Floor, 85 Chung-hsiao E. Road, Sec. 6, Taipei, Taiwan, R.O.C.
Tel: (02) 2786-3022, 2786-2474  Fax: (02) 2786-2674

**法界聖寺 Dharma Realm Sage Monastery**
臺灣省高雄縣六龜鄉興龍村東溪山莊 20 號
20, Tong-hsi Shan-chuang, Hsing-lung Village, Liu-Kuei, Kaohsiung County, Taiwan, R.O.C.
Tel: (07) 689-3713  Fax: (07) 689-3870

**彌陀聖寺 Amitabha Monastery**
臺灣省花蓮縣壽豐鄉池南村四健會 7 號
7, Su-chien-hui, Chih-nan Village, Shou-Feng, Hualien County, Taiwan, R.O.C.
Tel: (03) 865-1956  Fax: (03) 865-3426

**般若觀音聖寺（原紫雲洞）Prajna Guan Yin Sagely Monastery (formerly Tze Yun Tung Temple)**
Batu 5 1/2, Jalan Sungai Besi, Salak Selatan, 57100 Kuala Lumpur, West Malaysia
Tel: (03)7982-6560  Fax: (03) 7980-1272

**法界觀音聖寺（登彼岸）Dharma Realm Guan Yin Sagely Monastery (Deng Bi An)**
161, Jalan Ampang, 50450 Kuala Lumpur, Malaysia
Tel: (03) 2164-8055  Fax: (03) 2163-7118

國家圖書館出版品預行編目資料

御廚果觀／法界食譜工作群.——初版.——臺
北市：法總中文部，2006〔民95〕印刷
面： 公分.——（法界食譜；3）

ISBN 978-986-7328-28-1
1.素食. 2.食譜

427.31　　　　　　　　　95011710

御廚果觀

……

法界食譜 3

作　者　法界食譜工作群

發行人　法界佛教總會・佛經翻譯委員會・法界佛教大學
地　址　The City of Ten Thousand Buddhas（萬佛聖城）
　　　　4951 Bodhi Way, Ukiah, CA 95482 U.S.A.
　　　　Tel: (707) 462-0939　Fax: (707) 462-0949

出　版　法界佛教總會中文出版部
地　址　台灣省台北市忠孝東路六段 85 號 11 樓
　　　　電話: (02) 2786-3022　傳真: (02) 2786-2674

倡　印　法界佛教印經會（美國法界佛教總會駐華辦事處）
　　　　地址／電話：同上

　　　　法界文教基金會
　　　　台灣省高雄縣六龜鄉興龍村東溪山莊 20 號

出版日　西曆 2010 年 5 月 21 日　初版五刷
　　　　佛曆 3037 年 4 月 8 日　釋迦牟尼佛聖誕　恭印

www.drbachinese.org ・ www.drba.org

戶名:張淑彤　郵政劃撥/13217985